Istanbul

GUIDE évasion en VILLE

HACHETTE

© Denis Montagnon

le mot de l'auteur

Denis Montagnon vous emmène à Istanbul. Historien de l'art, grand connaisseur de l'Europe du Sud, Denis Montagnon collabore depuis de nombreuses années aux Guides Évasion. Il est notamment l'auteur de : *Andalousie, Canaries, Grèce continentale, Lisbonne, Venise.*

L'auteur remercie tous ceux qui l'ont aidé à rédiger ce guide.

Si Istanbul était une image ?

Peut-être ces cartes postales un peu ringardes avec cinq ou six images et le nom de la ville écrit au milieu. Pour moi, c'est un peu ça Istanbul, des images qui cohabitent et se télescopent : la mer, le Bosphore, des mosquées, des églises byzantines parfois déglinguées, des quartiers différents où l'on croise toutes sortes de gens.

Quelle est la première chose que vous faites en arrivant à Istanbul ?

Je me précipite chez *Koska*, sur Yeniçeriler Caddesi, pour m'acheter des loukoums à la pistache ou aux noisettes *(carnet d'adresses p. 155)*. Les deux en général ! Après, s'il fait beau, je vais prendre un café turc à deux pas de là, sur la place de l'Université. J'adore cet endroit.

Qu'avez-vous chez vous qui rappelle Istanbul ?

Des d'objets, des épices difficiles à trouver en France, des faïences, des affiches de nanars turcs... Ce à quoi je tiens le plus est un tapis acheté au hammam de Roxelane. Pas bien original, c'est vrai, sauf qu'il s'agit d'une copie d'une œuvre du XVIIe s. Et aussi qu'il est à dominante blanche, ce qui est assez rare.

Envie de partir ?

Constantinople, devenue Byzance, puis Istanbul... La mégapole de près de 15 millions d'habitants, établie sur deux continents, est occidentale et orientale tout à la fois. De part et d'autre du Bosphore, le dépaysement est garanti 100 % authentique et sans temps mort. Partout, la vertigineuse impression de toucher à l'inépuisable. Du Bazar égyptien à la colline de Beyoğlu, le sentiment bien réel d'être emporté dans un courant tourbillonnant, effet de l'incessant mouvement des foules comme d'une histoire qui se télescope à tous les coins de rues. Pas même la nuit ne vient tarir ce jaillissement, qui se métamorphose, dans les bars et les clubs de l'Istiklal Cad., en « movida » bruissant du son de toutes les musiques.

A. Montagnon

avant-goût

magazine

itinéraires

La ville historique

◄ La Kariye Camii. Cette église byzantine abrite le plus bel ensemble de mosaïques et de fresques de l'ancienne capitale byzantine.

avant-goût

1

2

Les essentiels

Le palais de Topkapı★★★

Une ville dans la ville et un univers du plus extrême raffinement, avec des kiosques entre ciel et terre, un fantasmatique harem et un Trésor renfermant une fabuleuse collection de joyaux amassés par les sultans. Une visite incontournable !

···> *Itinéraire 1, p. 53.*

Les musées archéologiques★★★

Trois musées en un et des pièces vraiment éblouissantes allant de l'époque sumérienne à l'âge hellénistique et de magnifiques œuvres des faïenciers d'Iznik. L'ensemble de sarcophages de la nécropole de Sidon justifie à lui seul la visite.

···> *Itinéraire 1, p. 61.*

Sainte-Sophie★★★

L'une des créations majeures de l'histoire de l'humanité, construite il y a près de 1500 ans par des architectes de génie. Si l'extérieur impose le respect, c'est l'intérieur, digne d'un décor de péplum, qui impressionne le plus avec sa gigantesque coupole.

···> *Itinéraire 2, p. 69.*

© Claude Vittiglio

3

La mosquée Bleue***

La plus élégante des grandes mosquées d'Istanbul. Les faïences bleues qui tapissent l'intérieur, à l'origine du surnom de la fondation impériale du sultan Ahmet Ier, créent une atmosphère envoûtante introuvable ailleurs avec une telle ampleur.

··· *Itinéraire 2, p. 78.*

Le Bazar égyptien**

On y vend des épices depuis sa création, au XVIIe s. Même s'il est peu fréquenté par les habitants d'Istanbul, le Bazar égyptien est l'un des lieux les plus attachants de la ville, à la fois festin visuel et olfactif et mine d'idées cadeaux.

··· *Itinéraire 3, p. 85.*

La Rüstem Paşa Camii **

Enclavée aux abords du Bazar égyptien, la mosquée du gendre et grand vizir de Soliman le Magnifique se cache des regards comme pour mieux étonner les visiteurs avec ses faïences qui explorent tout l'éventail de motifs floraux.

··· *Itinéraire 3, p. 87.*

4

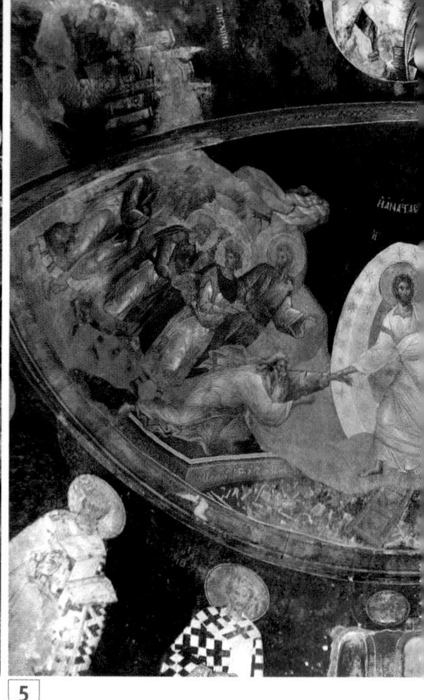

5

La Süleymaniye Camii★★★

L'aboutissement du travail du plus grand architecte ottoman, Sinan, à l'intention du plus grand des sultans, Soliman le Magnifique. Emblème de l'apogée d'une dynastie, l'édifice fait écho à Sainte-Sophie, construite mille ans auparavant.

··· *Itinéraire 3, p. 87.*

Le Grand Bazar★★

Des milliers de boutiques de tapis, de vêtements, d'antiquités vraies ou fausses, de faïences ou de toutes sortes d'objets, sans parler de la resplendissante allée des joailliers : le Grand Bazar, plus qu'un mythe, est un labyrinthe inépuisable où l'on peut passer des heures.

··· *Itinéraire 3, p. 90.*

La Kariye Camii★★★

À l'écart de la ville historique – et donc de la concentration des touristes – l'ancienne église Saint-Sauveur-in-Chora conserve un ensemble de fresques et de mosaïques du XIVe s. unique. Comme une sorte de chant du cygne d'une civilisation près de disparaître...

··· *Itinéraire 5, p. 106.*

© Sylvain Grandadam

6

Sirkeci-Eminönü★

À l'entrée du pont de Galata, un lieu vraiment fascinant : le nœud de communication et le cœur battant d'une ville de 15 millions d'habitants, où chacun court pour attraper qui un tramway ou un train, qui un taxi ou un bus de mer à destination de la rive asiatique.

···› *Itinéraire 6, p. 111.*

Istanbul Modern★

Installé dans un ancien entrepôt de Tophane, le récent musée d'Art moderne résume à lui tout seul l'orientation européenne d'Istanbul. Arpenter les salles ouvrant sur le Bosphore ou prendre un verre à la cafétéria pour profiter de la vue sur Topkapı est un plaisir du dernier chic...

···› *Itinéraire 6, p. 114.*

Istiklal Caddesi★

Le long de l'avenue de l'Indépendance, le touriste n'est plus roi ! Ici et dans les nombreux passages, Istanbul se dévoile enfin telle qu'elle est vraiment, une métropole jeune, festive, animée et noire de monde jusque tard dans la nuit, bien après la fermeture des magasins.

···› *Itinéraire 6, p. 115.*

© Claude Vittiglio

7

© Arnaud Galy

8

Si vous aimez...

Les ors byzantins

Ils se déploient à l'intérieur des édifices, dont certains conservent leur décor de fresques et de mosaïques.

···› L'imposante Sainte-Sophie*** *(p. 69)*.

···› la citerne ♥ Yerebatan Sarayı** *(p. 79)*.

···› L'ancienne mosquée Fethiye Camii** *(p. 100)*.

···› L'église byzantine Kariye Camii*** *(p. 106)*.

Les splendeurs ottomanes

De la prise de Constantinople jusqu'au XVIIe s., les sultans ont élevé une somme incroyable de monuments, palais et bien sûr mosquées.

···› Le très raffiné palais de Topkapı*** *(p. 53)*.

···› La célèbre mosquée Bleue*** *(p. 78)*.

···› La mosquée Süleymaniye Camii*** *(p. 87)*.

Le chatoiement des faïences

Les murs des palais et l'intérieur des mosquées témoignent de l'amour des Ottomans pour les décors stylisés et colorés.

···› La célèbre mosquée Bleue*** *(p. 78)*.

···› La belle ♥ Rüstem Paşa Camii** *(p. 87)*.

···› La ♥ Sokollu Mehmet Paşa Camii* *(p. 75)*.

© Arnaud Galy

9

© Arnaud Galy

10

Les sinuosités baroques

À partir du XVIIIe s., les sultans tournent leurs yeux vers l'Europe. Palais et mosquées affectent une recherche d'élégance inédite.

- La mosquée Nuruosmaniye Camii *(p. 82)*.
- Le palais ♥ Aynalıkavak Kasrı★ *(p. 131)*.
- L'élégante fontaine d'Ahmet III★ *(p. 53)*.

Les saveurs fin de siècle

Au XIXe s., la fascination pour l'Occident envahit le Bosphore.

- Les palais des rives du Bosphore : Dolmabahçe★★ *(p. 121)*, Beylerbeyı★ *(p. 137) et* Küçüksu★ *(p. 138)*.
- Le grand parc de Yıldız★ *(p. 125)*.
- Le ravissant quartier d'♥ Arnavutköy *(p. 136)*.

Les musées

Pièces archéologiques, art contemporain turc, ou bien collections de mécènes éclairés: il y a des musées pour tous les goûts.

- Les objets uniques des musées archéologiques★★★ *(p. 61)*.
- Le tendance Istanbul Modern★ *(p. 114)*.
- Le très chic musée de Péra★ *(p. 116)*.

© Sylvain Grandadam

11

© Arnaud Galy

12

Les parfums d'Orient

Des senteurs d'épices, des marchés en forme de cavernes d'Ali Baba, un centre de pèlerinage, ou un faubourg à l'ambiance 100 % turque.

⇢ Le frénétique ♥ Bazar égyptien** *(p. 85)*.

⇢ Le fameux Grand Bazar** *(p. 90)*.

⇢ Eyüp* *(p. 128)*.

⇢ Üsküdar* *(p. 132)*.

Les endroits singuliers

La cité fourmille de lieux rares et poétiques, où elle montre sa vraie nature, à la fois orientale et balkanique.

⇢ ♥ La rue Soğukçeşme Sok.** *(p. 67)*.

⇢ La ♥ Caferağa Medresesi, une ancienne *medrese (p. 67)*.

⇢ Les quartiers de ♥ Fener et Balat *(p. 99)*.

L'animation

À l'évidence, se limiter au Bazar égyptien et au Grand Bazar serait restreindre le champ des possibilités.

⇢ autour de la Fatih Mehmet Camii *(p. 101)*.

⇢ Sirkeci-Eminönü* *(p. 111)*, cœur de la ville.

⇢ Karaköy et les rues au bas de Galata *(p. 111)*.

⇢ La commerçante Istiklal Caddesi* *(p. 115)*.

© Arnaud Galy

13

© Arnaud Galy

14

Rêver

Istanbul est propice aux belles balades mélancoliques qui s'achèveront devant une douceur bien sucrée. Voici les lieux qui offrent une vraie respiration.

➺ Le cimetière d'Eyüp* *(p. 128)*, sur une colline.

➺ Le parc de Yıldız* *(p. 125)* et ses kiosques.

➺ Le parc d'♥ Emirgan et ses tulipes *(p. 138)*.

Les grands panoramiques

Pour apprécier l'immensité de la mégapole.

➺ Les belvédères de la Süleymaniye Camii *(p. 87)* et de la Selimiye Camii *(p. 96)*.

➺ La tour de Galata à Beyoğlu *(p. 118)*.

➺ Le café Pierre-Loti à Eyüp* *(p. 128)*

➺ Kiz Kulesı ou tour de Léandre *(p. 133)*. ●

▲ **Légendes de cette section :**
Ouverture Avant-goût :
vue aérienne de la Corne d'Or.
1 Le palais de Topkapı,
2 Sainte-Sophie,
3 Mosquée Bleue,
4 Süleymaniye Camii,
5 Kariye Camii,
6 Sirkeci-Eminönü,
7 Yerebatan Sarayı,
8 Süleymaniye Camii,
9 Palais de Dolmabahce,
10 Musées archéologiques,
11 Épices du Grand Bazar,
12 Quartier de Fener,
13 Cimetière d'Eyüp,
14 Vue depuis la tour de Galata.

© Arnaud Galy

◄ Les mosquées « historiques », construites entre le XVIe et le XIXe s., se comptent par dizaines à Istanbul.

Un week-end

Istanbul, à trois heures d'avion de Paris, est une destination de week-end très dépaysante. Mais en deux jours, il faudra se limiter à quelques visites, au risque de revenir épuisé.

Jour 1. Visites du **palais de Topkapı*****, de **Sainte-Sophie***** et de la **mosquée Bleue*****. Le soir, allez à **Istiklal Caddesi*** pour dîner dans l'endroit le plus animé de la ville et profiter de l'intense vie nocturne du quartier.

···› ***Itinéraires 1, 2 et 6***

Jour 2. Prenez un taxi pour visiter la **Kariye Camii*****, puis la **Süleymaniye Camii*****. En fin d'après-midi, dépensez vos livres turques au **Grand Bazar**** ou au **Bazar égyptien****.

···› ***Itinéraires 5 et 3***

Une semaine

En une semaine, vous devriez avoir un bon aperçu d'Istanbul et pouvoir tester de bons restaurants.

Jour 1, 2 et 3. Le cœur de la **ville historique** (reprenez les visites du programme en un week-end proposé *ci-contre*). Le dernier jour, dans l'après-midi, faites une incursion à **Üsküdar***, côté asiatique.

···› ***Itinéraires 1 à 3 et 9***

Jour 4. **La croisière des deux continents****.

···› ***Itinéraire 10***

Jour 5. Les **murailles terrestres***.

···› ***Itinéraire 5***

Jour 6. Le **district de Fatih*** ou les **palais des derniers sultans****, au choix, selon que vous recherchez des quartiers moins fréquentés ou les curiosités du Bosphore.

···› ***Itinéraires 4 ou 8***

Jour 7. Le **district de Beyoğlu***.

···› ***Itinéraire 6***

Comme un Stambouliote

Pour rencontrer la ville plurielle et authentique des Stambouliotes, il faudra délaisser les grands monuments de Sultanahmet et le cœur de la ville historique, abandonnés aux visiteurs étrangers, et choisir un hôtel situé dans le district de Beyoğlu, dans le vif du sujet.

Jour 1. Arpentez le **district de Beyoğlu***, pour une belle immersion dans l'animation de **Sirkeci-Eminönü***, puis dans celle de l'**Istiklal Caddesi***, à découvrir à la sortie des bureaux et jusque tard dans la nuit. En chemin, pause-thé dans le quartier de **Tophane** avant de visiter l'**Istanbul Modern***, le très *smart* musée d'Art moderne établi sur les rives du Bosphore.

Itinéraire 6

Jour 2. Contraste saisissant par rapport au jour précédent : dans le **district de Fatih*** et plus particulièrement autour de la mosquée du même nom, Istanbul prend un visage profondément musulman. Au bord de la Corne d'Or, s'étendent les « villages » de ♥ **Fener** et **Balat**, d'anciens quartiers juifs et orthodoxes.

Itinéraire 4

Jour 3. Journée un peu plus reposante avec une promenade dans l'un des grands parcs de la ville (**Yıldız*** ou encore ♥ **Emirgan**), suivie d'une pause gourmande dans un chalet ottoman. Excursion à **Üsküdar*** en fin d'après-midi.

Itinéraires 7 et 9

Sous la pluie

À Istanbul, le climat est imprévisible. L'hiver, volontiers pluvieux et maussade, enveloppe le tissu urbain et habille les rives du Bosphore d'une grisaille uniforme. Il s'accompagne parfois de chutes de neige : la ville prend alors une allure franchement balkanique.

Jour 1. Profitez du mauvais temps pour visiter quelques essentiels : les **musées archéologiques*****, **Sainte-Sophie*****, la **mosquée Bleue***** et **Yerebatan Sarayı****; puis ralliez en taxi la **Süleymaniye*****, en laissant le **palais de Topkapı***** à des jours meilleurs.

Itinéraires 1 à 3.

Jour 2. S'il pleut encore, filez au **Grand Bazar**** puis passez entre les gouttes pour rejoindre le ♥ **Bazar égyptien**** et la **Rüstem Paşa Camii****. Encore des averses ? Prenez alors un taxi en direction de **Taksim Meydanı** et deambulez dans l'**Istiklal Caddesi***, dont les boutiques et les passages seront autant de refuges. Pensez aussi à faire une petite promenade en bateau pour rejoindre, du côté asiatique, **Üsküdar*** en vous réchauffant à bord avec un verre de thé. Comme un Stambouliote.

Itinéraires 3, 6 et 9 ●

magazine

GALERI
ODA

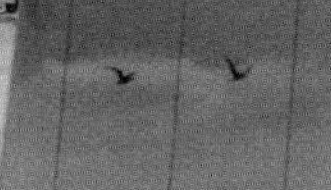

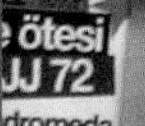
ötesi
JJ 72

18 HAZİRAN CUMARTESİ
SAINT JOSEPH LİSESİ 12:00
KENAN DOĞULU
MANGA
TAKSİM KADIKÖY KARŞILAŞMASI
XXXL - FUCHS - ARKA PLAN

© Claude Vittiglio

Une ville-monde

▲ L'attachement à la nation, symbolisé par le drapeau marqué du croissant, vire parfois au nationalisme.

◀ *Pages précédentes :* patchwork d'affiches de rue, où ressort le difficile mariage entre l'Europe et la Turquie.

Une des premières impressions que laisse Istanbul est l'image d'une cité en perpétuel mouvement, hyperactive, et jeune surtout. Après vient à nous la perception d'une population moins homogène qu'à première vue. Par la diversité des niveaux de vie bien sûr, criante entre le cireur de chaussures des environs de

Sainte-Sophie et le *golden boy* écumant les boîtes de Galatasaray, mais aussi par l'histoire très différente de chacun. Au fond, Istanbul reste ce qu'elle n'a jamais cessé d'être : un aimant, un pont entre Balkans et Anatolie.

Portrait-robot

Chercher à établir le portrait-robot du Stambouliote serait un pari insensé. Moustaches et costume trois-pièces ne sont plus vraiment la norme. Istanbul est une somme de mondes – jeunes d'ailleurs – qui vivent ensemble. C'est là, dans sa mixité sociale, que réside un peu de son pouvoir de fascination.

Istanbul, avec sa banlieue, officiellement peuplée de 800 000 habitants en 1940, comptait 9,5 millions au recensement de 1997, soit trois fois plus qu'Ankara, la capitale du pays. En 2007, selon les estimations officielles, la population d'Istanbul atteindrait près de **15 millions d'habitants**, certains avançant même le chiffre de 18 millions de personnes vivant dans le « Grand Istanbul ».

La raison de cette **croissance ultrarapide** est le rôle d'aimant que l'ancienne capitale ottomane, devenue le moteur de l'économie turque, n'a cessé de jouer dans la seconde moitié du XXe s. Aujourd'hui, son pouvoir d'attraction a quelque peu décliné au profit des villes moyennes. On compte encore 100 000 nouveaux arrivants chaque année, alors qu'ils étaient environ 400 000 dans les années 1990.

En raison de son accroissement spectaculaire dans la deuxième moitié du XXe s., Istanbul est devenue une **ville de déracinés** : seulement deux habitants sur dix peuvent se prévaloir d'y être nés. La plupart sont arrivés des Balkans au lendemain de la Seconde Guerre mondiale. Dans les années 1990, les Anatoliens de l'Est et du Sud-Est ont afflué en rangs serrés pour fuir la misère et l'insécurité. Le second trait saillant de la population d'Istanbul est sa jeunesse : la moitié des habitants a moins de 30 ans, plus du tiers n'a même pas 20 ans.

Minoritaires d'aujourd'hui et « peuples » d'autrefois

Bulgares, Macédoniens, Russes, Bosniaques, Albanais, Levantins (des chrétiens d'Orient), Iraniens, Arabes, Gitans, Roumains ou Monténégrins, les « minoritaires », installés de longue date, sont éparpillés dans toute la ville. Les Russes et autres Européens de l'Est, arrivés au lendemain de la chute du bloc communiste, se regroupent dans les quarters de Laleli et d'Aksaray, carrefours de tous les trafics. Les communautés grecque, juive et arménienne, qui constituaient autrefois de véritables « peuples », avec leurs quartiers et leur culture, ont été réduites à peau de chagrin. Aujourd'hui, elles se sont mélangées à la population.

• **Les Grecs**. Près de 100 000 orthodoxes vivaient à Istanbul jusqu'en 1955, année de l'attentat visant la maison natale d'Atatürk à Thessalonique qui déclencha un déferlement d'hostilité à l'encontre des orthodoxes. L'intervention turque à Chypre en 1974 et les multiples tensions avec l'« ennemi héréditaire grec » entraînèrent des départs massifs, réduisant la colonie grecque stambouliote à 3 000 personnes environ.

• **Les juifs**. La communauté juive, installée à Constantinople depuis la fin du XVe s. après avoir été expulsée d'Espagne, est estimée à 20 000 personnes. Jadis concentrée dans le quartier de Balat, elle est maintenant disséminée de l'autre côté de la Corne d'Or, à Hasköy, et dans le nord de la ville. Les juifs d'Istanbul possèdent plusieurs synagogues et un journal publié en langue turque (*Şalom*, tiré à 3 500 exemplaires).

• **Les Arméniens**. La communauté arménienne, celle que les sultans appelaient la « nation fidèle », formait un vrai peuple (200 000 personnes) au début du XXe s. Le génocide de 1915-1917 et des années de brimades l'ont saignée à blanc. Les 50 000 à 60 000 Arméniens restés à Istanbul sont rassemblés dans les quartiers les plus occidentalisés (Kadıköy, Beyoğlu ou Nişantaşı), ainsi que dans la banlieue résidentielle de Bakırköy, côté européen.

L'« ennemi de l'intérieur » : le Kurde

Plus encore que les Arméniens, les Kurdes sont considérés par les nationalistes turcs comme des diviseurs, comme une menace contre la « turcité ». Ils constituent un véritable peuple (de 12 à 15 millions de personnes, soit 20 % environ de la population turque), avec sa propre langue et sa propre culture.

La guerre sans merci livrée par le gouvernement turc aux indépendantistes du PKK (Parti des travailleurs du Kurdistan) a entraîné la fuite des Kurdes du Sud-Est anatolien, qui ont ensuite entamé leur marche vers les grandes villes de l'Ouest, Ankara, Izmir ou Istanbul, devenue **la plus grande ville kurde du monde**. Installés à la périphérie, vivant souvent dans le plus grand dénuement, les Kurdes occupent

Les 10 fils de la louve

En prenant le nom d'Atatürk, Mustafa Kemal fait référence aux Türüks, littéralement « les Forts ». Apparus au Ve s. sur les pentes du mont Altaï, les premiers Turcs descendraient d'un jeune berger, seul rescapé d'une tribu décimée. Laissé pour mort, celui-ci fut recueilli par une louve dont il eut dix garçons. Les dix fils du premier père des Turcs prirent femme chez les peuples voisins. Leurs descendants essaimèrent en de multiples tribus entre la Chine et l'Iran.

Le tabou arménien

Les massacres des Arméniens ne sont pas reconnus, et le mot « arménien » reste tabou. En 2007, l'assassinat de Hrant Dink, directeur du journal arménien *Agos*, provoqua un défilé monstre à Istanbul. Peu après, les télévisions turques montrèrent le meurtrier présumé accueilli en héros par des policiers. Le double événement fit éclater au grand jour la profonde division de la société turque.

à Istanbul les emplois les plus précaires et les moins gratifiants. Beaucoup ont décidé de tenter leur chance ailleurs, et d'entamer le long périple qui les conduit en Grèce, puis en Italie, en France et enfin en Grande-Bretagne ou en Allemagne, où la plupart rêvent de s'installer.

À Istanbul, les manifestations kurdes se multiplient depuis 2005 et s'achèvent régulièrement par des affrontements avec la police (échanges de cocktails Molotov et de gaz lacrymogènes). Et pour cause... La question kurde, qui semblait résolue après l'arrestation du leader du PKK, Abdullah Öcalan dit Apo, et sa condamnation à la prison à perpétuité en 2001, est toujours d'actualité avec la naissance d'un « Kurdistan irakien », qui a favorisé la rébellion après 5 ans de trêve. Les indépendantistes semblent plus dangereux que jamais, car radicalisés et plus divisés.

Néanmoins, l'entrée de députés kurdes au Parlement élu en 2007 laisse augurer l'amorce d'un **apaisement**.

Les alevis : turcs, musulmans... mais suspects

Cette minorité se différencie par son appartenance à l'islam chiite. Il est difficile d'en estimer l'importance à Istanbul, car le premier principe de l'alévisme est le secret de l'appartenance à la « secte ». Des extrapolations donnent le chiffre de 10 à 15 millions de personnes sur le territoire turc, soit près de 20 % de la population du pays.

Les alevis ont été constamment persécutés par les sultans en raison de leurs positions progressistes. Ils appuyèrent la politique laïque d'Atatürk et militèrent en faveur d'un rapprochement avec l'Occident. Aujourd'hui, leur interprétation très libérale de l'islam (femme considérée comme l'égale de l'homme, refus du prosélytisme, non-respect des cinq prières quotidiennes et du pèlerinage à La Mecque, alcool autorisé, etc.) leur vaut la haine des fondamentalistes les plus extrémistes, qui voient en eux de dangereux « athées propagateurs d'une foi falsifiée ». ●

En route vers l'adhésion ?

Fin 2004, le Conseil européen rend un avis positif sur l'ouverture officielle des négociations d'entrée de la Turquie dans l'U.E. Les Turcs y sont alors favorables à 80 %. En 2007, ce taux est retombé à 30 %. Entre temps, beaucoup se sont lassés de voir l'adhésion de leur pays faire l'objet d'une instrumentalisation persistante, notamment en France. Même si la Turquie répondait aux exigences de l'U.E. en termes d'économie, de démocratie, d'égalité des femmes ou de respect des droits de l'homme, et quand bien même le gouvernement reconnaîtrait Chypre, l'identité kurde et le génocide arménien, les Turcs savent que le vrai problème tient aux mentalités européennes. Vers 2020, date éventuelle d'une entrée effective de la Turquie dans l'U.E., les Européens seront-ils prêts à accepter un pays de 100 millions d'habitants environ, et, qui plus est, musulman ? ●

Islam et *movida*

▲ Les nuits sont chaudes à Istanbul. De la colline de Beyoğlu aux rives du Bosphore en passant par les quartiers hyper-occidentalisés du Nord, les fêtards migrent au gré des saisons.

La Turquie est le seul pays musulman doté d'une constitution laïque. Peu avant sa disparition en 1993, l'ancien président de la République Turgut Özal rappelait la ligne sans concession de Mustafa Kemal, dit Atatürk : « La République turque repose sur deux piliers : le rejet du communisme et de la théocratie. » Si la

« désislamisation » conduite à marche forcée a porté ses fruits jusque dans les quartiers d'affaires au nord de la place de Taksim, ses limites, symbolisées par les succès électoraux des islamistes « modérés » de l'AKP, éclatent dans le quartier de Fatih et dans la ville historique. Ici, les femmes voilées ou portant le *hidjab* sont largement majoritaires. Cette dichotomie est encore plus visible la nuit : quand Sultanahmet s'assoupit en fin de journée et que les Anatoliennes à foulard quittent les rues du quartier, la *fashion victim* de Beyoğlu commence sa nuit, dans un quartier où, depuis longtemps le bruit de la fête couvre le chant du muezzin…

La laïcité menacée ?

Personne n'est vraiment capable d'estimer le nombre réel de mosquées. Selon les sources officielles, il y aurait près de 2 000 sanctuaires disséminés à Istanbul, mais ce chiffre ne prend pas en compte les salles de prière de fortune aménagées dans de simples maisons. Depuis les années 1990, les **valeurs islamiques** n'ont cessé de gagner du terrain en Turquie, y compris dans les grandes villes, et en particulier à Istanbul. Ses partisans, les « barbus », relèvent la tête. Les plus ultras prônent la fermeture des commerces le vendredi, ou manifestent pour que Sainte-Sophie redevienne une mosquée… Cette **résurgence de l'islam** à Istanbul est en partie liée à l'arrivée massive des émigrés anatoliens, traditionnellement religieux.

Depuis 1994, les candidats islamistes remportent la mairie à chaque élection : le populaire Recep Tayyip Erdoğan d'abord, puis le moustachu Ali Müfit Gürtuna, et enfin Kadir Topbaş, élu en 2004. Affichant des convictions proeuropéennes, ces néo-islamistes ont su rassurer les dirigeants occidentaux, en tenant un discours libéral sur l'économie. Les classes défavorisées, volontiers conservatrices sur les questions de société, ne sont pas les seules à soutenir les islamistes. Beaucoup d'intellectuels remettent en question le **matérialisme à l'occidentale** imposé par Atatürk, qui, selon eux, aurait fait perdre à la Turquie un pan essentiel de sa culture. L'État lui-même a longtemps multiplié les signes de compréhension à l'égard des religieux en mettant un bémol au dogme kémaliste de la laïcité pure et dure, avant qu'Abdullah Gül ne devienne, en août 2007, le premier président de la République issu de la mouvance islamiste *(p. 169)*.

Culture des élites et nuits blanches

Un habitant des quartiers chics d'Istanbul n'a évidemment pas les mêmes centres d'intérêt qu'un musulman pratiquant du quartier de Fatih. Les grandes manifestations culturelles, telles que la **Biennale d'art** ou encore le **Festival international d'Istanbul** *(p. 27)*, les 300 galeries d'art moderne de la ville et le bien récent musée d'Art moderne *(p. 114)* attirent une petite élite fortunée et cultivée. On pourrait dire la même chose du cinéma turc d'art et d'essai ou des arts plastiques à l'écoute

des principaux courants contemporains. La plupart des écrivains de renom – Yachar Kemal avant tout, mais aussi Nedim Gürsel, Osman Necmi Gurmen ou même le « nobélisé » Orhan Pamuk *(ci-dessous)* – ont un point commun : ils sont surtout lus… à l'étranger !

Le Stambouliote moyen a des plaisirs plus simples : parier sur la victoire de l'équipe de football de Beşiktaş, de Fenerbahçe ou de Galatasaray *(p. 125)*, regarder cette télévision qui offre les joies du zapping, aller voir un film d'action turc ou américain dans l'une

Les nuits de Beyoğlu

Il y à peine dix ans, Istanbul n'offrait aux noctambules que quelques spectacles « folkloriques » frelatés. Aujourd'hui, changement radical de décor. Le quartier de Beyoğlu et les passages de part et d'autre d'Istiklal Cad. accueillent de nombreux bars, restaurants et clubs à la déco inventive et à la musique éclectique. Aujourd'hui, s'y pressent les Dj's les plus pointus et les branchés du monde entier. Les bars investissent les immeubles, drainant une foule jeune et décomplexée qui profite de terrasses aux panoramas incroyables. La plupart de ces établissements n'ouvrent qu'une partie de l'année et la vie nocturne migre le long du Bosphore en été.

●●● *Voir aussi l'itinéraire 6 p. 116 et nos adresses de lieux de vie nocturne p. 150.*

Orhan Pamuk, prix Nobel 2006

Né en 1952, Orhan Pamuk construit une œuvre littéraire passionnante dont le thème

◄ Une autre ambiance règne dans la ville historique, où se mélangent touristes étrangers et Turques portant des *hijabs* sobres ou à la dernière mode.

► Le Stambouliote est volontiers bonhomme, philosophe, avec une pointe de curiosité jamais apaisée.

© Sylvain Grandadam

des salles de l'Istiklal Cad., sortir entre amis au restaurant pour boire du rakı, ou aller écouter de la musique dans les bars musicaux qui pullulent dans le quartier de Beyoğlu.

Le **monde de la nuit**, et c'est là un fait nouveau porteur d'espoirs, est bien plus bigarré qu'autrefois: la jeunesse, dans son insatiable quête de faire la fête, se mélange. Au restaurant, une même tablée rassemblera des filles coiffées d'un foulard à la dernière mode et leurs meilleures amies habillées ultrasexy, toutes venues avec leur petit ami respectif. L'histoire retiendra qu'Istanbul aura connu sa *movida* au moment où les islamistes s'imposaient dans les urnes... ●

central est la quête d'identité de l'individu dans un pays au passé culturel d'une extraordinaire richesse. Ses prises de position en faveur des questions arméniennes et kurdes lui ont valu une comparution en justice pour « insulte à l'identité turque ». Le procès s'est achevé par un non-lieu. L'écrivain, devant les menaces de mort proférées par des nationalistes, s'est exilé aux États-Unis.

●●● *Voir aussi la bibliographie p. 185.*

Festival international d'Istanbul

Né en 1973 sous l'égide de la fondation de l'Art et de la Culture d'Istanbul, le festival international de musique d'Istanbul attire les meilleurs artistes du monde classique et de la danse. Un spectacle donné plusieurs années de suite a largement établi sa réputation, *l'Enlèvement au sérail* de Mozart, représenté dans le cadre « naturel » du palais de Topkapı. Rens.: www. iksv.org. ●

entretien Yaşemin Alkaya

Après avoir dirigé une compagnie de théâtre (Teatrofil), cette comédienne de formation devient responsable du restaurant *5. Kat* (5ᵉ étage), dans le quartier de Cihangir. Aujourd'hui, un *docudrama* retrace son expérience dans le milieu de la restauration : « *C'est très drôle, mais quand je l'ai vu pour la première fois et que j'ai réalisé que c'était ma vie, j'en ai pleuré... Les autres en rient ! C'est peut être cela que l'on appelle tragi-comique !* ».

Vous êtes aujourd'hui une figure de la nuit stambouliote.

C'est mon travail qui le veut. J'ai eu, il y a quelques années, une proposition dans la restauration et je l'ai acceptée, à une seule condition : être ma propre patronne... Mes journées sont longues, comme mes nuits. Mais je ne me lasse pas de ma ville. Istanbul a énormément changé en une dizaine d'année. De nombreux établissements se sont ouverts, la vie nocturne est de plus en plus agitée... C'est vraiment une ville passionnante, trépidante, magique, tout d'abord par son emplacement géographique évidemment, mais aussi par sa population, qui représente une véritable mosaïque culturelle.

Mon restaurant existe depuis 14 ans et est assez représentatif des sorties nocturnes des Stambouliotes : vers 20 h, les clients affluent sur la terrasse, où la vue sur le Bosphore est exceptionnelle. Après 23 h, le restaurant se transforme en bar-club : nous jouons sur la qualité de la musique et les soirées thématiques.

Pouvez-vous nous parler de votre quartier, Cihangir ?

Le quartier de Cihangir existe depuis le milieu du XIXe s. Il est bâti sur une colline, à partir de laquelle on domine l'entrée du Bosphore, en bordure des vieux quartiers. Ravagé par un incendie dans les années 1930, il a été reconstruit en pierre et en béton, mais le charme opère encore, on y trouve toujours quelques belles maisons Art nouveau. Autrefois peuplé majoritairement de Grecs, le quartier est aujourd'hui plus cosmopolite. C'est devenu l'un des quartiers les plus chics de Beyoğlu, très résidentiel, où de nombreux expatriés choisissent de s'installer.

Une femme chef d'entreprise en Turquie, un atout ou un handicap ?

C'est déjà très difficile de tenir un restaurant, mais pour une femme, c'est deux fois plus dur. Et pas seulement en Turquie ! Mais ici, en plus, je travaille avec des hommes qui ont toujours un mode de vie traditionnel et qui ne sont pas prêts d'accepter une femme comme moi... » ●

Le meilleur moment pour venir à Istanbul ?

L'automne et le printemps pour la lumière et le climat.

Les lieux ou l'on trouve de bons produits frais ?

À Eminönü *(p. 111)* et au Çiçek Pasajı *(p. 115)*, mais aussi dans des marchés ouverts comme celui de Beşiktaş.

5. Kat, Soğanci Sok. 7, 5e étage, ☎ (0212) 293.37.74, www.5kat.com.

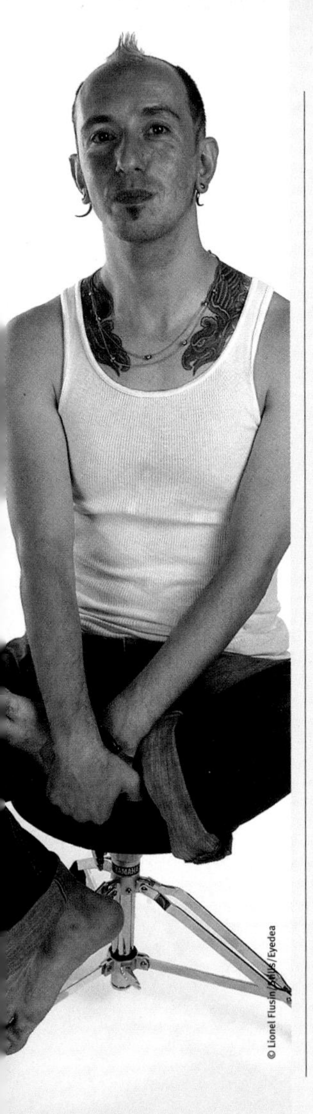

musique

La *Turkish Touch*

Refus de l'austérité liée à la montée de l'islamisme ? Fascination pour l'Ouest et ses mœurs libres ? Zappez sur une chaîne de TV privée et, immanquablement, défilera un clip où un éphèbe, accompagné de plusieurs jolies filles court vêtues, chante un tube à la rythmique bien balancée. Généralement, la mer et le soleil font partie du décor, ainsi qu'un cabriolet de marque allemande... Mais la scène contemporaine ne se limite pas à ces chansons légères pour adolescent(e)s. Des artistes produisent une musique qui brasse instruments traditionnels et sonorités actuelles.

Le Petit Oiseau de la pop

Le succès de la pop turque doit beaucoup à Sezen Aksu, que l'on surnomme *Minik Serçe*, « Petit Oiseau ». La Madonna turque, égérie de la jeunesse au passé sulfureux, ne compte pas que des admirateurs ! En 2002, l'interprétation de chansons en kurde, en arménien grec et en hébreu lui valut les foudres de l'extrême-droite. Productrice et auteur de textes, Sezen Aksu a lancé la plupart des grandes stars du genre, Mustafa Sandal, Levent Yüksel, Doğus, et surtout Tarkan, le chanteur turc le plus connu en France depuis... Dario Moreno. Parmi les meilleurs artistes d'un genre en perpétuel renouvellement figurent aussi Sertab Erener, Ajda Pekkan, et, du côté des hommes, Hakan Peker et Serdar Ortaç.

Le chantre de la « *world fusion* »

Né en 1944, Orhan Gençebay est devenu une figure en Turquie. Compositeur et acteur prolifique, ce virtuose du *bağlama* (sorte de luth à 3 chœurs de cordes) mélange musiques turques populaires et traditionnelles, tout en plaquant des rythmiques occidentales. Gençebay, en dépit de sa voix veloutée, se défend d'appartenir au genre de l'*arabesk*, musique de variété turque arabisante, et préfère l'étiquette de musicien de « *world fusion* ».

Rave à la turque

Faire danser les *ravers*. Voici l'objectif d'Arkin Allen alias Mercan Dede (nom d'un dignitaire soufi), l'un des emblèmes de la nouvelle scène musicale turque *(photo ci-contre)*. Vivant entre Montréal et Istanbul, ce joueur de *ney* (flûte traditionnelle en roseau) se produit en concert avec ses *samplers*, ses platines vinyle et un groupe de musiciens. La musique est étonnante, entre *world* et électro, entre mémoire et modernité. ●

Une extension sans fin

Istanbul connaît les maux des principales mégalopoles : population croissante, rareté des espaces verts, pollution et urbanisation anarchique. Un voyageur venu il y a une trentaine d'années ne la reconnaîtrait plus. Déployant ses tentacules, sauf vers le nord, elle s'étend aujourd'hui sur plus de 100 km entre l'Europe et l'Asie.

▲ L'extraordinaire densité urbaine d'Istanbul laisse peu de place aux espaces verts.

La face cachée d'Istanbul

La plupart des visiteurs mesurent le gigantisme d'Istanbul par le hublot de l'avion, ou depuis le pont du bateau qui les amène sur les rives du Bosphore. Ils visitent surtout le cœur historique, entre Corne d'Or et mer de Marmara, ainsi que le quartier de Beyoğlu jusqu'à la place de Taksim, soit le dixième de l'agglomération du « Grand Istanbul ». Voilà qui est déjà suffisant pour donner une image bien réelle d'une cité infiniment riche, mais aussi bruyante, grouillante, et pas toujours d'une propreté exemplaire. Cette impression n'est pourtant que partielle puisque les deux visages extrêmes d'Istanbul restent inconnus de l'immense majorité des étrangers : le plus pauvre d'abord, la ceinture de banlieues grises, peuplées d'Anatoliens, qui entoure la métropole, et son contraire, la ville hyper-occidentalisée que l'on rencontre à Kadıköy sur la rive asiatique de la mer de Marmara (Moda, Göztepe, Erenköy) et au-delà de Taksim et du palais de Dolmabahçe, du côté européen.

Extension anarchique...

L'extension anarchique de la ville remonte au lendemain de la Seconde Guerre mondiale. En Thrace – du côté européen (Bakırköy, Ataköy, Yeşilköy) – l'agglomération a largement dépassé l'aéroport Atatürk, situé pourtant à une vingtaine de kilomètres à l'ouest, au bord de la mer de Marmara. Au nord, la forêt de Belgrade constitue (en théorie) une barrière infranchissable à l'extension d'un urbanisme qui s'exprime plus librement du côté asiatique, parallèlement à la mer de Marmara : en suivant la route d'Izmit ou d'Ankara, il faut désormais traverser une trentaine de kilomètres de zones urbaines avant de trouver des espaces non lotis un peu conséquents.

... et urbanisme sauvage

La croissance démographique *(p. 21)* s'étant accélérée dans les années 1970-1980, on imagine les problèmes auxquels se trouve maintenant confrontée la plus grande métropole turque. En 1980, au paroxysme de la crise du loge-

Le chantier du siècle

Le tunnel ferroviaire sous le Bosphore (Marmaray Projesi), entre la gare de Sirkeci et Üsküdar, reliera en 2010 les lignes de chemin de fer européennes et asiatiques. Construit par un consortium turco-nippon, il possèdera un tronçon immergé de 1,6 km de long, à une profondeur maximale de 56 m sous la mer. L'ouvrage devrait permettre de décongestionner la ville sans présenter, paraît-il, le moindre danger en cas de tremblement de terre (le tunnel est censé résister à une magnitude 9 sur l'échelle de Richter). Un séisme que les spécialistes jugent malgré tout inéluctable dans les toutes prochaines décennies et auquel chaque Stambouliote s'attend avec angoisse.

Des projets de titans !

Est-ce parce que Kadir Topbaş était architecte, toujours est-il qu'Istanbul est devenue un grand chantier depuis son élection à la municipalité, en 2004. Les travaux de

sécurisation lié aux risques sismiques ne sont pas seuls en cause ! Parmi les nombreux projets avalisés par le maire, deux d'entre eux font particulièrement sensation – et polémique : l'érection de tours de 300 m de haut dans les quartiers nord, à Levent, et surtout l'ambitieux *Galataport*, entre Karakoÿ et Kabataș, nouveau complexe portuaire qui risque de radicalement transformer le visage de la ville. *Galataport* prévoit en effet la construction et l'aménagement de 1 200 m de quais, avec hôtels de luxe et boutiques. Ils seront capables d'accueillir 3 paquebots de croisières en même temps. ●

▲ Le vieux tramway qui parcourt l'Istiklal Caddesi atteint 20 km/h en vitesse de pointe.

ment, plus de la moitié des habitants vivaient dans des **lotissements sauvages** de *gecekondu*, ces baraques en parpaings ou en béton qui envahirent la rive asiatique, aux abords de la route d'Ankara, et l'ouest d'Istanbul (faubourgs européens de Zeytinburnu, de Bakırköy et de Gaziosmanpaşa). Dans ces faubourgs éloignés de la mer se concentrent les plus démunis, et particulièrement les Anatoliens de l'Est dont on dit souvent ici qu'ils « assiègent » Istanbul. Les gouvernants ne peuvent ni ne veulent rien faire contre ces étendues pavillonnaires dépourvues de plan d'urbanisme : peuplés de locataires à près de 70 %, ils apportent de précieuses rentes à des personnalités influentes, souvent recrutées parmi les élus politiques… Même des organismes officiels, à commencer par des mairies, occupent des bâtiments construits illégalement !

« Turquitudes »

Le problème de la pollution saute immédiatement aux yeux ! À l'opacité proverbiale des eaux de la Corne d'Or s'ajoutent les murs noirs des medersas ou des mosquées, sans compter les maisons démolies transformées en décharges sauvages…

Au-delà de ce laisser-aller général, les rejets industriels ou domestiques dans l'atmosphère sont plus préoccupants. Bien que le phénomène se soit un peu atténué, l'usage d'un charbon de mauvaise qualité crée encore, en hiver, un *smog* qui peut paralyser le trafic sur le Bosphore.

La circulation automobile, malgré un taux d'équipement très en deçà des grandes villes européennes, constitue l'autre grand facteur de pollution. La création des ponts sur le Bosphore (Boğaziçi Köprüsü en 1973, puis Fatih Sultan Mehmet Köprüsü en 1987) a favorisé l'afflux massif des véhicules des résidents de la rive asiatique. Un troisième pont jeté à mi-chemin entre les deux précédents aggraverait le problème. Sans cesse repoussé, le projet se heurte à l'hostilité farouche des habitants d'Arnavutköy, qui refusent de voir leur horizon barré par du béton.

Les transports en commun : la solution miracle ?

Depuis les années 1990, les autorités de la ville cherchent à dissuader les Stambouliotes de prendre le volant pour aller travailler. Les transports en commun, déjà étonnants par leur diversité (ferries, métro, tramway, bus, autobus de mer, minibus, taxis, taxis collectifs ou *dolmuş*) sont constamment développés, du moins quand les finances de l'État le permettent… Côté européen, un tramway traverse l'ensemble de la ville historique depuis 1992. Il emprunte maintenant le pont de Galata et rejoindra bientôt Beşiktaş, au bord du Bosphore. La décennie 2010 devrait voir le prolongement de l'actuelle ligne de métro Taksim-Levent jusqu'à Yenikapı, au bord de la mer de Marmara. Elle devrait aussi coïncider avec l'achèvement du tunnel ferroviaire sous le Bosphore. •

▲ **Si les collines d'Istanbul sont difficiles à localiser, les jambes des touristes sauront les reconnaître aisément...**

topographie

Où sont passées les sept collines ?

Constantin l'avait remarqué : comme son illustre devancière, la « Nouvelle Rome » possède sept collines. Aujourd'hui, même du haut du magnifique belvédère que constitue la tour de Galata *(p. 118)*, il est difficile de les localiser. L'enchevêtrement extrême des minarets et des constructions hétéroclites qui se dressent partout en est responsable. L'extension de la cité au nord de la Corne d'Or et sur la rive asiatique a modifié son aspect, ajoutant aux moins deux éminences de plus : Beyoğlu *(p. 116)* et Üsküdar *(p. 132)*.

La première colline est facile à repérer. Cernée par la mer de Marmara et par la Corne d'Or, elle a été choisie par Byzas comme site de l'antique Byzance.

La seconde, qui grimpe de la Yeni Cami *(p. 85)* au Grand Bazar *(p. 90)*, ressort moins clairement en raison de sa folle urbanisation.

Les troisième et quatrième collines ont toutes deux reçu un couronnement grandiose : de l'une surgit la mosquée de Soliman *(p. 87)*, de l'autre les minarets de la Fatih Camii *(p. 107)*.

Plus loin vers la Corne d'Or se dresse la cinquième colline, où s'élève la mosquée de Selim *(p. 96)*, puis la sixième, près du pont Atatürk *(p. 109)*.

La septième colline, la plus grande de toutes, est visible depuis la mer de Marmara : elle culmine à la porte de Topkapı *(p. 104)*, dans le sud-ouest de la ville. ●

entretien Isik Aydemir

Isik Aydemir est membre de l'Académie d'architecture de Paris, du conseil scientifique d'Europa Nostra (Fédération européenne du patrimoine culturel), président de l'association culturelle Turquie-France et directeur du Centre de recherches international d'études urbaines à l'université de Yildiz, à Istanbul.

Comment la ville a-t-elle évolué ces dernières décennies ?

Depuis les années 1960, Istanbul a connu une croissance démesurée et sa population a triplé. Aujourd'hui, la ville fait face à une crise du logement et des transports. On rencontre aussi un problème de citoyenneté : les nouveaux arrivants ne sont pas habitués à vivre avec le patrimoine, ne le respectent pas, ne s'approprient pas l'histoire de la ville, cette mémoire urbaine essentielle à l'assimilation.

Observe-t-on des mouvements de population ?

Istanbul change avec ses habitants : les maisons en bois, conçues pour durer 100 ans, sont difficiles à restaurer car le prix du bois est devenu inaccessible et les techniques de construction sont méconnues. Leurs équipements sommaires ne conviennent plus aux attentes des Stambouliotes, qui préfèrent le confort d'une maison à l'américaine construite à la périphérie. Et le centre-ville est désormais occupé par des bureaux et des commerces. Néanmoins, depuis quelques années, on assiste à un retour des intellectuels et des jeunes vers les quartiers de Galata et Sultanahmet, par exemple. Cela est surtout dû à un problème de transport, les gens mettant parfois plus de deux heures par jour pour se rendre sur leur lieu de travail.

© Claude Vittiglio

Architecte et spécialiste du patrimoine historique

Que font les pouvoirs publics ?

La sauvegarde des quartiers historiques ne suffit pas. La municipalité doit de toute urgence redéfinir les fonctions de la ville, la péninsule historique n'est pas un musée mais un espace de vie. Pour l'instant, la réussite vient de projets privés. Par exemple la nouvelle université de Kadir Has – une ancienne usine de tabac transformée en campus – dans le quartier de Cibali, a contribué à l'évolution du quartier. Les étudiants et leurs professeurs ont investi peu à peu les abords de l'université.

Comment gérer un patrimoine immense ?

Le patrimoine d'Istanbul a été valorisé dès les années 1930 par l'urbaniste français Léon Henri Prost. Il avait conçu un parc archéologique où il était interdit de construire. Il a également travaillé sur Galata et Taksim en limitant la hauteur des bâtiments, principes encore respectés aujourd'hui. Le soubassement des immeubles ne peut être fondé à plus de 40 mètres au dessus du niveau de la mer, et la limite de construction est de trois étages au dessus de ces 40 mètres. Grâce à lui la ville a conservé sa silhouette. ●

Vos monuments de prédilection ?

Sainte-Sophie *(p. 69)*, mais également les mosquées de Rüstem Paşa *(p. 87)* à Eminönü et de Sokollu Mehmet Paşa *(p. 75)* à Sultanahmet.

Un lieu où vous rencontrez vos amis volontiers ?

À Tünel au passage des Cafés, à la sortie du funiculaire au-dessus du quartier de Galata *(p. 116)*.

Un restaurant ?

Pandeli au Bazar égyptien *(carnet d'adresses p. 145)*.

À la table du sultan

▲ À Istanbul, on a inventé la *street food* bien avant qu'elle ne soit à la mode. Les *simits*, artistiquement disposés dans des chariots tenus par des vendeurs ambulants, apaiseront les petites faims matinales.

La cuisine turque passe pour la troisième du monde, après les cuisines française et chinoise. Sa particularité : elle rechigne à recourir aux sauces sophistiquées afin de préserver la saveur naturelle des aliments. Excellente et étonnante, elle risque pourtant de lasser en raison du nombre restreint d'ingrédients qu'elle utilise : mouton, aubergines, riz, tomates, concombres et yoghourt accompagneront tous vos repas pendant l'intégralité de votre séjour. Pour varier les plaisirs, vous pourrez aussi déguster toute une gamme de produits de la mer, des simples moules farcies au plus onéreux *lüfer* (bar). Enfin, il reste toujours la solution du *lahmacun*, équivalent de la pizza italienne.

Meze en folie

Sans parler des salades, la variété des ***meze*** est telle que ces entrées peuvent constituer à eux seuls un repas. Dans un *meyhane* ou restaurant à *meze*, il y en a pour tous les goûts : sur le grand plateau en aluminium du serveur, vous choisirez entre une salade d'aubergines au yoghourt ***(patlıcan salatası)***, des feuilles de vigne farcies ***(yaprak dolması)***, de grosses moules farcies au riz ***(midye dolması)***, des harengs séchés ***(baliği)*** arrosés de citron et parfumés à l'aneth, ou encore des aubergines aux oignons et aux tomates ***(imam baylı)***, que l'on peut traduire par « à se faire pâmer un imam », tout un programme...

Au pays du mouton-roi

En l'absence du porc, interdit par l'islam, le mouton est roi. Si vous n'appréciez pas cette viande forte, rabattez-vous sur le ***bonfile***, le bon vieux bifteck, ou sur la volaille. Le mouton se mange soit en brochettes – les fameux ***şiş kebap*** – soit sous forme de boulettes appelées ***köfte*** (viande hachée et mélangée à des légumes et à des tomates).

La variété des *kebap* a de quoi laisser perplexe au premier abord. On peut en dénombrer plus d'une quinzaine sur certaines cartes. Goûtez-les tous de l'***Adana kebap***, originaire du Sud-Est anatolien et très épicé, à l'***Urfa kebap***, le plus basique (oignon et poivre), en passant par l'***Iskender kebap*** (sauce tomate, aromates et yaourt ailé). Pour faire couleur locale, accompagnez-les de yoghourt battu et fermenté ***(ayran)***. Il y a aussi les tripes qui se dégustent grillées au barbecue ***(kokoreç)***, ou simplement en potage ***(işkembe çorbası)***.

Les légumes accompagnent les plats de viande et les *kebap*. L'aubergine ***(patlıcan)*** est toujours cuisinée avec art. Vous mangerez aussi un excellent riz ***(pilav)***, du bulgur, de la courgette frite ***(kabak)***, et une sorte de **ratatouille** cuite avec de l'agneau ***(güveç)***.

Un petit tour au *balık restoran*

Allez au moins une fois dans un ***balık restoran***, ou restaurant à poissons, de préférence sur les rives du Bosphore (à Beşiktas ou à Ortaköy), en évitant l'arnaque des établissements du pont de Galata. Le serveur vous apportera le plat et vous montrerez du doigt le poisson que vous voulez. Vous paierez en fonction du poids et l'on vous demandera quelle cuisson vous souhaitez. Préférez-les frits, ils sont meilleurs. Le poisson le plus coté est le ***kara göz*** (littéralement « œil noir », une variété de daurade). Vous pourrez également goûter au turbot ***(kalkan)***, au bar ou poisson bleu ***(lüfer)***, à l'esturgeon ***(mersin)***, au mérou ***(trança)***, sans parler des crustacés, tels les homards ***(istakoz)*** ou les crevettes ***(karides)***. Ces dernières vous seront

© Patrick Frilet/hemis.fr

◄ Pour apprécier les *meze*, il faudra se rendre dans un *meyhane*. À déguster avec du rakı bien sûr...

proposées systématiquement dans les restaurants de Kumkapı, où l'on pousse à la consommation. Et pour cause, elles atteignent un prix exorbitant !

Douceurs orientales

Les pâtisseries turques ***(tatlılar)*** paraîtront à certains excessivement sucrées. Les plus connues sont le **loukoum** ***(lukum)*** et les pâtes d'amandes ***(badem ezmesi)***, dont il existe une infinité de variétés. Les Turcs préfèrent manger des douceurs dans les salons de thé *(p. 149)* ; le choix est souvent bien mince dans les restaurants. Vous dégusterez ici l'inévitable riz au lait ***(sütlaç)***, qui vous rappellera l'époque où vous déjeuniez à la cantine scolaire, des pâtisseries au miel ***(baklava)***, des gâteaux fourrés à la pistache ***(fıstıklı)***, ou encore des gâteaux de vermicelle grillé, avec des amandes et du miel ***(tel kadayıf)***. Les fruits sont aussi tous excellents, tout particulièrement le melon ***(kavun)***.

Cuisines de rue

À Istanbul, vous pourrez manger à n'importe quelle heure et n'importe où, en particulier dans la rue. Des vendeurs ambulants proposent des pistaches, des gâteaux, des pains couverts de sésame ou *simit*, des fruits, des moules farcies ou du poisson grillé. Mais, bien d'autres solutions, tout aussi locales, se présentent à vous... Le *döner kebap* est un en-cas bon marché qui peut permettre de sauter une étape au restaurant. Il est vendu dans les snacks à des prix proportionnels à la fréquentation touristique du quartier. Le client a en général le choix de la viande (mouton, bœuf ou poulet), de même que celui du pain, levé ou non *(pita)*. On ajoute des tomates, de l'oignon émincé, de la salade mélangée ou non à des carottes râpées, ainsi que de l'harissa ou une sauce blanche à base de yaourt. Les frites sont souvent de la partie. Autre solution, près de l'embarcadère situé de part et d'autre du pont de Galata,

Boire un petit verre

Les **vins** *(şarap)* titrent un minimum de 12,5°. Parmi les meilleurs figurent le Doluca ou Villa Doluca (vin de Thrace), le Kavaklıdere, le Trakya, le Marmara et le Buzbağ. La plupart sont capiteux et proposés en blanc *(beyaz)* ou en rouge *(kırmızı)*. Le **rakı** est une anisette qui se rapproche de l'ouzo grec (45°). Les Turcs en raffolent et accompagnent souvent leur repas avec cette boisson qu'ils diluent à part égale avec de l'eau. D'incolore, elle devient alors blanche, d'où son nom d'*aslan sütü*, « lait de lion », le lait des vrais hommes. Les puristes boivent le rakı tel quel, alternant une gorgée d'eau avec une gorgée d'alcool, et parfois par bouteilles entières...

Autre choix, la **bière** *(bira)*, qui accompagne régulièrement le repas : il y a la bière de luxe, allemande ou danoise, et la bière locale, de marque Efes, très acceptable.

Les plus sages se rabattront sur l'**eau** *(su)* plate *(şişe suyu)*, systématiquement servie au restaurant. L'eau gazeuse *(maden suyu)* est plus rare.

Çay ou kahve ?

Un miracle quotidien ! Le **thé** *(çay)* turc, délicieux et parfumé, est la boisson la plus appréciée. On vous en offrira partout : dans les magasins, sur les bateaux qui sillonnent le Bosphore, et même dans les banques... Sur un simple coup de téléphone, un jeune serveur arrivera alors instantanément avec un plateau suspendu à une chaînette et posera un petit verre brûlant sur le comptoir. Le **café** *(kahve)* est, quant à lui, une boisson de luxe. Au lieu du café instantané que l'on vous proposera d'emblée, préférez le café turc, préparé en décoction. Il arrive brûlant sur la table, ce qui laisse le temps au marc de se déposer au fond de la tasse. Comme le *rakı*, le café se boit selon des rites immuables, à petites gorgées et en prenant son temps. On vous le proposera peu *(az şekerli)*, moyennement *(orta)*, très sucré *(şekerli)*, ou sans sucre *(sade)*. ●

●●● *Voir également notre sélection de restaurants, cafés et salons de thé dans le carnet d'adresses p. 144 à 149.*

des guérites ou des vendeurs ambulants proposent pour pas cher des anchois *(hamsi)* des maquereaux *(uskumru)*, et des sardines *(sardalye)*, qu'ils viennent de pêcher. Le poisson est cuit sous vos yeux. Entre deux tranches de pain, avec un morceau d'oignon et un demi-citron, c'est un délice !

Les secrets du loukoum

Cette douceur moelleuse et fondante a été inventée par Ali Muhlidin Haci Bekir, qui s'installa à Istanbul au XVIIIe s., à deux pas de la Corne d'Or, où ses descendants tiennent toujours boutique. La fabrication du loukoum est un jeu d'enfant. C'est un mélange de sucre, de fécule, de noisettes, de pistaches, de vanille, de noix de coco râpée ou d'un autre parfum. La pâte ainsi obtenue est cuite pendant environ une demi-heure puis mise à refroidir. Une fois solidifiée, cette pâte est coupée en dés grossiers, que l'on saupoudre de sucre glace afin que les loukoums ne collent pas entre eux. ●

© Sylvain Grandadam

Le grand bazar !

▲ Petite pause après un marchandage éreintant... ou en attendant un client, somme toute assez rare en raison de la concurrence qui fait rage au Grand Bazar !

Byzance : ce seul nom devrait suffire à vous donner une idée des richesses que vous allez découvrir. Istanbul est un petit paradis du shopping, et il est vraiment impossible d'en revenir les mains vides, quels que soient votre budget et la taille de votre valise... Si l'artisanat traditionnel a quasi disparu au profit de petites industries tournées vers le tourisme, bijoux, vêtements et tapis valent toujours le coup. Ce sont les achats favoris du touriste en vadrouille à Istanbul. Mais encore faut-il savoir distinguer les articles de qualité des arnaques, et savoir négocier le meilleur prix.

Le marchandage

La grande tradition du commerce stambouliote a la vie dure, même si le marchandage souffre désormais de nombreuses exceptions : les étiquettes se généralisent.

Le marchandage se pratique partout, en particulier au Grand Bazar *(p. 90)*, où tous les touristes se précipitent, mais aussi dans les boutiques de quartier. Il est de rigueur dans les petites bijouteries, les magasins de tapis et de vêtements de cuir, ainsi que dans les marchés en plein air. De manière générale, le marchandage peut être tenté dans toutes les boutiques où le prix des articles n'est pas clairement indiqué. Il n'est bien sûr pas de mise dans les luxueuses boutiques à l'européenne des quartiers de Taksim, de Nişantaşı et de Kadıköy.

La règle d'or est de prendre son temps. L'affichage des tarifs n'étant pas systématique, promenez-vous d'abord, demandez les prix si un objet vous intéresse, puis comparez avec celui du concurrent. Ainsi, vous aurez une base de discussion. Une fois votre choix fixé, vous commencerez à discuter. Restez toujours courtois, souriant, évitez de parler anglais ou de sortir prématurément votre portefeuille. Un autre conseil : avancez masqué, ne montrez jamais un intérêt particulier pour un objet que vous souhaitez follement acquérir. Laissez le commerçant annoncer d'abord son prix. Haussez les sourcils et proposez la moitié, ou une somme largement inférieure à celle espérée au final. N'hésitez pas à feindre de partir (en dernière extrémité). Normalement, la partie adverse baisse ses prétentions. La partie est à moitié gagnée. À vous de jouer ! Une dernière astuce peu connue (ne l'ébruitez pas !) : arrivez à l'ouverture. Pour le commerçant turc, la première affaire est sacrée : plus tôt elle sera conclue, plus la journée sera fructueuse. Le marchand de tapis le plus carnassier limite alors sa marge de bénéfice et marchande avec moins d'âpreté. À bon entendeur...

Halı et kilim

Le tapis proprement dit se nomme *halı*. Il est fabriqué entièrement à la main par des jeunes filles et demande parfois un travail de plusieurs mois.

Les brins (laine, coton ou soie) sont noués sur une trame tendue sur un métier, puis coupés afin de donner au tapis son aspect de velours caractéristique. Les dessins géométriques s'obtiennent en disposant les nœuds, tantôt dans le sens longitudinal, tantôt dans le sens transversal. Plus le nombre de nœuds au centimètre carré (env. 30 pour un bon tapis) est important, plus le *halı* est solide. Plus il a de

shopping

valeur également. Différentes régions turques produisent des tapis. Selon leur provenance, les matériaux diffèrent. La soie est utilisée dans la région de Bursa, tandis que la laine est de rigueur dans la région de Konya et dans l'ensemble de l'Anatolie.

Le *kilim* est plat et sans aspect de velours. Il est tissé sur un métier. Cette sorte de tapis est bien moins onéreux qu'un tapis en soie. On le fabrique dans diverses régions turques. Ses couleurs et ses dessins permettent théoriquement d'en déterminer l'origine géographique.

D'or et d'argent

Les bijoux en or, souvent agrémentés de pierres précieuses ou semi-précieuses, sont meilleur marché qu'en France. Attention, l'or n'affiche souvent que 14 carats, ceci expliquant cela. Les bagues ou bracelets traditionnels en argent se trouvent chez les antiquaires. Il en existe de bonnes copies dans les bijouteries de la ville. Si vous avez envie de vous déguiser en Shéhérazade, de nombreuses petites boutiques vendent des bijoux fantaisie derrière le Bazar égyptien. Les couleurs sont assez criardes, mais les formes reprennent souvent des modèles des années 1920 ou 1930.

▶ Au Bazar égyptien s'offre un choix vertigineux d'épices. Les produits sont toujours de la plus grande fraîcheur, donc forts en goût.

Tentations de cuir

Les boutiques de vêtements sont légion : il y a de tout pour toutes les bourses, et vous pourrez renouveler entièrement votre garde-robe sans vous ruiner. Jupes et blousons en cuir ou en daim sont terriblement tentants, mais il faut garder la tête froide et marchander avec âpreté. En règle générale, plus le prix semble avantageux, plus le risque est grand d'acquérir un vêtement dont le tannage et les finitions laissent à désirer. Avant d'acheter, vérifiez la qualité des coutures, l'épaisseur et la souplesse de la peau. Attention

Tapis de Hereke et d'ailleurs

C'est à Hereke, à 80 km au S-E d'Istanbul, que se fabriquent les tapis en pure soie les plus réputés dans le pays. Dans cette catégorie, la griffe « Herek », avec ses fleurs, ses médaillons et ses 64 doubles nœuds au cm² (ou nœud Ghiordes) vaut une fortune. En comparaison, les tapis de Kayseri – le second centre de production – coûtent une bouchée de pain. Vous ne regretterez pas l'investissement car, avec le temps, le tapis de Hereke gagne du brillant, de la couleur… et de la valeur ! Les plus sages se rabattront vers les tapis abordables, en laine et coton ou en pure laine. Les premiers se reconnaissent à leurs motifs orientaux et se présentent sous une infinité de formats. Le nombre de doubles nœuds va de 36 à 64 au cm². Les seconds (16 à 36 doubles nœuds au cm²) sont décorés de formes géométriques caractéristiques de l'art

nomade. De taille rectangulaire (3 x 5 m ; 5 x 7 m ; 6 x 9 m généralement), ce sont les seuls à utiliser exclusivement des colorants naturels.

Arnaques et contrefaçons

Certes, les prix des vêtements fabriqués en Turquie ou bien en provenance d'Asie centrale (Ouzbékistan ou Kazakhstan) sont dérisoires. Mais il faut faire particulièrement attention aux contrefaçons de grandes marques, en particulier au Grand Bazar : observez les coutures et tirez sur les logos des marques pour examiner leurs attaches. Pareil pour les parfums français ou italiens, dont seul l'emballage est bien imité ! N'oubliez pas que la douane est intraitable et que vous devrez payer une forte amende à l'aéroport. Méfiance donc dès qu'on cherche à vous vendre avec insistance un objet, à commencer par les tapis. Un commerçant jouant la qualité n'a jamais besoin de faire de la retape. ●

aux odeurs fortes qui ne disparaîtront jamais complètement ! En cas de problème au niveau de la coupe, les retouches, voire le sur-mesure complet, sont réalisables en 24 h et ce, quasiment dans toutes les boutiques.

Souvenirs de fumée...

L'écume de mer, de couleur blanc cassé, est du silicate de magnésie hydraté provenant d'un calcaire fossile marin. Il provient d'Eskişehir, entre Bursa et Ankara. Cette matière poreuse qui absorbe la nicotine et filtre la fumée est utilisée pour confectionner des pipes. La plupart d'entre elles présentent un fourneau sculpté en forme de tête, tout simplement pour cacher les éventuelles fêlures. Les plus chères sont dépourvues d'ornement, tout défaut étant alors immédiatement visible. Le narghilé est une grande pipe à eau dotée d'un support en bois, ou mieux en métal. La fumée se refroidit en passant dans une petite cuve remplie d'eau, ce qui a pour effet d'enrichir l'arôme du tabac. Si vous décidez de rapporter cet objet bien encombrant, faites aussi l'emplette de rouleaux de tabac : ils sont difficiles à trouver à l'étranger.

Dans la caverne d'Ali Baba

Ici, mille et une choses fleurent bon l'Orient. Pour un petit souvenir pas cher et peu encombrant, vous aurez l'embarras du choix entre les **épices** (curry, cumin, safran iranien, thym, origan, piment rouge en paillettes et *sumak*), le **thé turc**, le *rakı*, les **produits secs** (pistaches d'Alep entre autres), le miel et bien sûr les **loukoums** *(p. 41)*.

▲ Le réseau d'allées et de contre-allées du Grand Bazar : un véritable labyrinthe dont il est très difficile de ressortir les mains vides !

Certains objets en bois exciteront aussi votre convoitise : **instruments de musique** (luth ou *oud*, *saz*, ou la moins encombrante *ney*, la flûte traditionnelle de derviche souvent… en plastique !) et **objets en marqueterie** (boîtes à cigarettes, échiquiers, *tavla*, le backgammon turc). L'argent et la nacre incrustés dans le bois s'avèrent parfois être… de l'aluminium et du polystyrène. Méfiance donc. Observez la qualité du travail.

Il y aussi les **céramiques** (plats, bols et assiettes) aux motifs traditionnels d'Iznik *(p. 87)* ou de Kütahya (XVIIe-XVIIIe s.) que vous aurez pu admirer lors de vos visites de mosquées ou du palais de Topkapı. Vous trouverez partout des pièces fabriquées à Kütahya, plus ou moins réussies. Et comment partir sans un objet en **cuivre** ? Du plateau à thé au cendrier, le choix est large. À vous de voir, en sachant que les prix sont très variables. En règle générale, les pièces anciennes se distinguent des modèles modernes par leur poids bien plus conséquent. Les **tissus ethniques** feront aussi un très beau souvenir. Très bariolés, ils prennent la forme de châles, de foulards ou même de vêtements. Par ailleurs, des créateurs réutilisent des vieux *kilims* pour faire des sacs à main. ●

●●● *Voir aussi nos adresses shopping dans le carnet d'adresses p. 151.*

itinéraires

LALE

en bref

© Claude Vittiglio

- **Situation.** À cheval sur l'Europe et l'Asie, Istanbul, 1 200 km², est le seul exemple au monde de ville construite sur deux continents. Distance Paris-Istanbul : 2 760 km. Décalage horaire avec la France : 1 h. Lorsqu'il est midi à Istanbul, il est 11 h à Paris (passage à l'heure d'été ou à l'heure d'hiver aux mêmes moments).

- **Découpage administratif.** Le « Grand Istanbul » est constitué de 32 « quartiers ». **Centre historique** : Eminönü, Fatih. **Quartiers ouest** : Eyüp, Bayrampaşa, Esenler, Güngören, Zeytinburnu. **Quartiers nord** : Beyoğlu, Beşiktaş, Şişli, Kâğıthane, Bağcılar, Gaziosmanpaşa. **Rives du Bosphore et mer Noire** : Beykoz, Sarıyer, Şile, Tarabya. **Rive européenne de la mer de Marmara** : Bakırköy, Avcılar, Bahçelievler, Küçük Çekmece, Büyük Çekmece, Çatalca, Silivri. **Rive asiatique de la mer de Marmara** : Üsküdar, Kadıköy, Maltepe, Ümraniye, Sultanbeyli, Adalar (îles des Princes), Kartal, Pendik.

◄ *Pages précédentes :* près du pont de Galata. Du pain, un peu d'oignon, du poisson, et vous voilà reparti vers de nouvelles aventures !

◄ *Ci-contre :* l'art de choyer Atatürk, père de la République.

- **Population.** 11 322 000 hab. (au recensement de 2005) ; le chiffre de 15 millions d'hab. est évoqué (avec la banlieue). Près d'un Turc sur 5 habite le « Grand Istanbul ».

- **Densité.** 12 833 hab./km².

- **Religions.** Les musulmans représentent 98 % de la population ; les 2 % se partagent entre les orthodoxes, les juifs, les catholiques et les protestants. Istanbul est le siège du patriarcat orthodoxe.

- **Langue.** Turc « romanisé » depuis l'introduction de l'alphabet latin en 1928.

- **Maire d'Istanbul.** Kadir Topbaş (membre du parti néo-islamiste AKP, *p. 169*), élu en 2004.

- **Économie.** Istanbul est le centre économique du pays, tous secteurs d'activité confondus. Ainsi, la ville concentre la **moitié du potentiel industriel turc**. La Turquie est le 6e plus grand marché et le 7e partenaire commercial de l'U.E.

- **Inflation.** 9,65 % en 2006.

- **Taux de croissance.** 5,8 % en 2005.

- **Salaire minimum.** Env. 330 € (déb. 2006 ; env. 3 fois plus qu'en Bulgarie ou en Roumanie).

- **Monnaie.** Nouvelle livre turque (YTL) : 1 € = 1,8 YTL.

La ville historique

▲ La Yeni Cami *(au premier plan)* et la mosquée de Soliman, juchée sur la plus haute colline de la ville historique.

Passés les horizons dégagés et policés de la pointe du Sérail et de Sultanahmet, où sont concentrés quelques-uns des monuments les plus éblouissants de la ville, Istanbul n'en finit pas de créer l'étonnement. Son inépuisable éventail de visages laisse sans voix. Vibrante et affairée autour du Grand Bazar, bruyante aux abords des grandes artères, et presque villageoise en s'enfonçant dans les faubourgs, elle se découvre comme une addition de quartiers qui racontent chacun un peu de l'histoire de la ville.

1 | La pointe du Sérail★★★

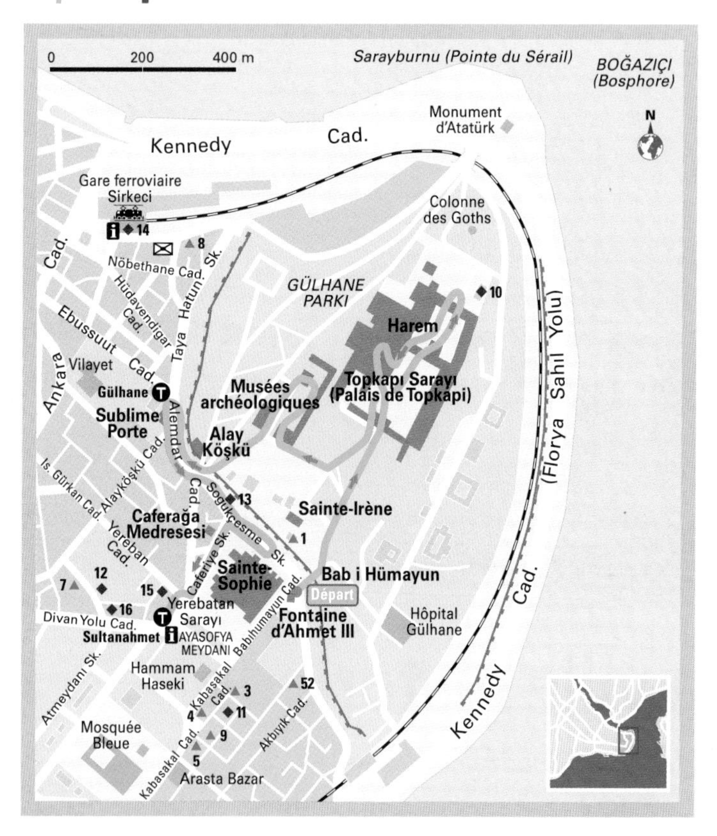

▲ La pointe du Sérail

Le site de l'acropole de l'ancienne Byzance, en belvédère sur le Bosphore et la mer de Marmara, est occupé par Topkapı, le palais des sultans ottomans, et par ses kiosques d'un raffinement inouï. Les musées archéologiques, à deux pas, offrent un détour passionnant au temps de Nabuchodonosor, de la guerre de Troie et d'Alexandre le Grand.

La fontaine d'Ahmet III*

Longeant Sainte-Sophie, la Kabasakal Babihümayun Cad. rencontre l'élégante fontaine du sultan Ahmet III, construite en 1728, adaptation revue et corrigée du **style rococo** alors en vogue en Europe. Au bas de l'épaisse muraille du sérail de Topkapı court la ravissante petite ♥ **Soğukçeşme Sok.**** *(à découvrir en fin d'itinéraire, p. 67)*.

Le palais de Topkapı***

Plan du palais p. 54. Ouv. t.l.j. sf mar. 9 h 30-17 h (19 h en été ; f. des guichets 1 h avant). Entrée payante. Billet supplémentaire pour la visite du harem (vis. accompagnée en anglais 10 h-12 h et 13 h/14 h-16 h) à retirer dans la deuxième cour, devant l'entrée du harem. À g. de la billetterie, près de l'Ortakapı, un panneau indique la fermeture éventuelle des différents pavillons. www.topkapisarayi.gov.tr.

Le **palais des sultans** est une véritable ville dans la ville, sans cesse enrichie et agrandie au fil du temps. Sa visite permet de se faire une excellente idée du mode de vie raffiné des sultans ottomans et d'admirer une incomparable somme d'**objets précieux**. La collection de bijoux, en particulier, ne laissera pas indifférent.

Peu après la prise de la ville en 1453, **Mehmet le Conquérant** *(p. 162)* décide de transférer sa résidence d'Eski Sarayı (Vieux Palais), située à l'emplacement de l'actuelle université, sur l'acropole de l'antique Byzance. Le **Yeni Sarayı** (Nouveau Palais) est entouré d'une enceinte percée à l'origine de quatre portes monumentales. L'une d'elles, la porte du Canon, détruite en 1862 à la suite d'un incendie, lui vaut son nom actuel de palais de Topkapı. Pendant près de quatre siècles, le **centre du pouvoir ottoman** s'exerce depuis ce palais qui atteint aujourd'hui une superficie de 700 000 m². On estime à 5 000 le nombre de résidents permanents à l'apogée de l'Empire, sous Soliman le Magnifique.

La vie palatiale était régie par un **cérémonial très strict**. Selon leur rang, les visiteurs avaient accès à la première ou à la deuxième cour, tandis que la troisième et la quatrième cours étaient strictement réservées aux princes et

Départ : au niveau de la fontaine d'Ahmet III ; station de tramway Sultanahmet.

Durée : 1 journée.

Résistez à la tentation de visiter Sainte-Sophie : vous la découvrirez dans l'itinéraire 2, *p. 69*.

Présentez-vous devant le palais dès l'ouverture des guichets et essayez de visiter d'abord le harem. Si l'attente est longue, filez découvrir le trésor. À midi, déjeunez au restaurant ou à la cafétéria du palais, face à la mer de Marmara.

Hébergement. 1 **Ayasofya Konakları**, 3 **Four Seasons**, 4 **Yeşil Ev**, 5 **Blue House Mavi Ev**, 7 **Nomade**, 8 **Askoç**, 9 **Uyan**, 52 **Mavi Guesthouse.**

Restauration. 10 **Konyalı**, 11 **Rami**, 12 **Rumeli Café**, 13 **Sarniç**, 14 **Orient-Express**, 15 **House of Medusa**, 16 **Tarihi Sultanahmet Köftecisi.**

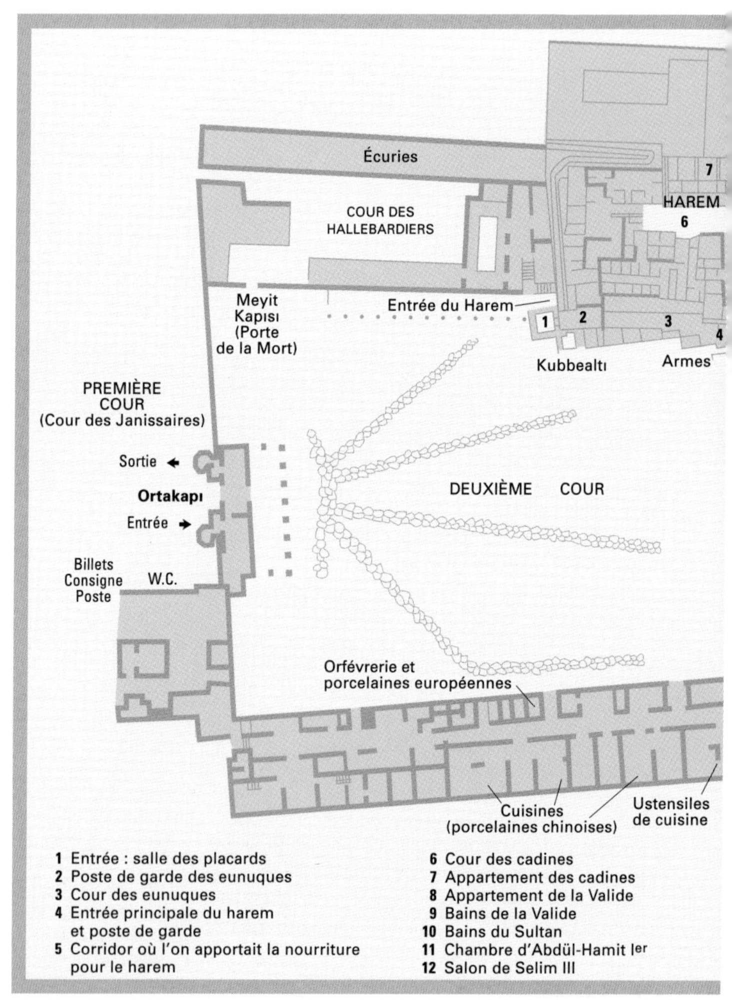

▲ Le palais de Topkapı

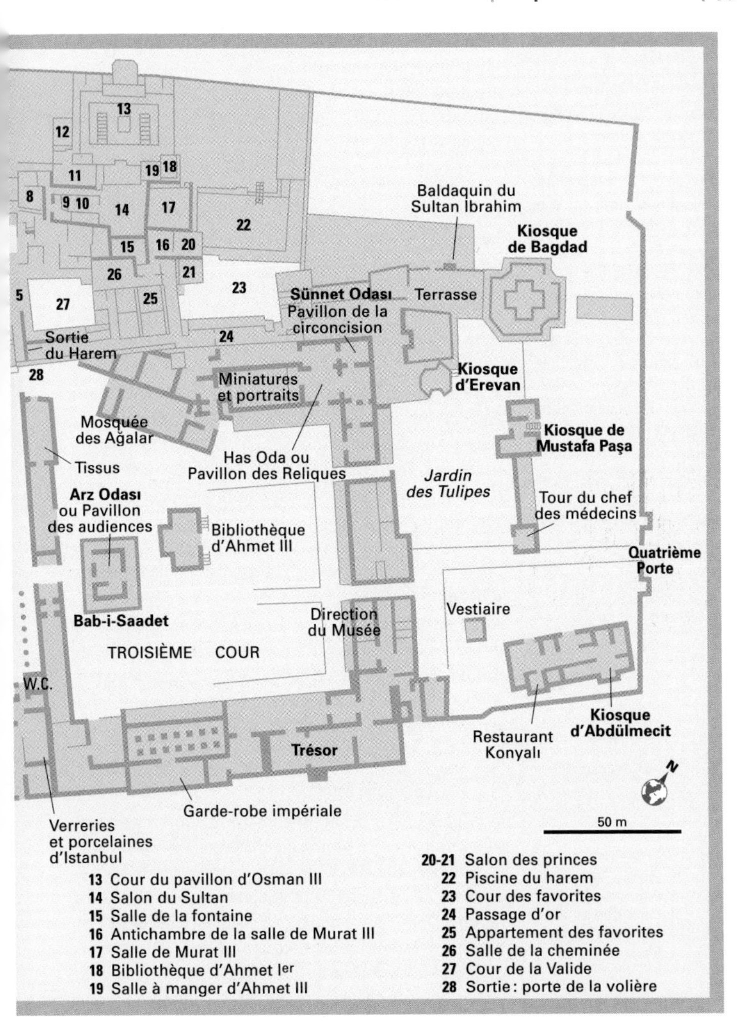

- **13** Cour du pavillon d'Osman III
- **14** Salon du Sultan
- **15** Salle de la fontaine
- **16** Antichambre de la salle de Murat III
- **17** Salle de Murat III
- **18** Bibliothèque d'Ahmet Ier
- **19** Salle à manger d'Ahmet III
- **20-21** Salon des princes
- **22** Piscine du harem
- **23** Cour des favorites
- **24** Passage d'or
- **25** Appartement des favorites
- **26** Salle de la cheminée
- **27** Cour de la Valide
- **28** Sortie : porte de la volière

architecture
Un palais de nomades

Le sérail de Topkapı, par son refus de la monumentalité et de la hiérarchisation des bâtiments qui le composent, ne ressemble en rien aux palais européens. Constitué d'une suite de **cours parsemées de pavillons et de jardins,** le palais s'apparente à un véritable microcosme, à un résumé de l'univers. Constamment transformé au cours des siècles, il reflète l'idée chère à l'islam selon laquelle **toute chose sur terre est temporelle.** Sa structure lâche et évolutive rappelle le passé nomade des Ottomans, lorsqu'ils vivaient dans des campements de tentes. ●

à leurs serviteurs proches. Malgré son luxe, le sérail fut abandonné par **Mahmut II** (1808-1839) et ses successeurs au profit des résidences, plus conformes au goût du jour, construites sur le bord du Bosphore (Dolmabahçe, Çırağan et Yıldız).

La première cour

La **Bab-i-Hümayun** (porte Impériale) en marbre noir, bâtie sous le règne de Mehmet II, ouvre sur la première cour, ou **cour des Janissaires**. Bordée de plusieurs bâtiments utilitaires (ateliers, boulangeries, dépôts de bois) et d'un pavillon où le vizir entendait les requêtes des gens du peuple, elle servait aux parades des janissaires *(p. 63)* et aux exécutions.

● **Sainte-Irène***. Édifiée par Constantin et dédiée à la Paix divine, l'église Sainte-Irène a été incendiée en même temps que Sainte-Sophie (532), puis reconstruite sous le règne de **Justinien**, dans les années 540. Il est seulement possible d'en admirer l'extérieur, avec son plan basilical et sa coupole surmontant la croisée. L'intérieur est seulement visible à la faveur d'un **concert** organisé lors du **Festival international de musique d'Istanbul** *(p. 27)*.

Avant de pénétrer dans la deuxième cour, vous passez devant la **billetterie**. À côté se trouvent la **fontaine du Bourreau** et la **pierre** où étaient exécutés les grands personnages tombés en disgrâce. Les sultans faisaient exposer leurs têtes dans les niches de la Bab-i-Hümayun, à l'entrée du palais.

La deuxième cour

On y pénètre par la **Bab-i-Salam** (porte du Salut), appelée « Ortakapı » ou « porte du Milieu ». D'allure presque occidentale, elle aurait été bâtie par Soliman le Magnifique en 1524 au retour d'une campagne militaire en Europe. Dans cette cour, appelée aussi « **cour des Cérémonies** », avaient lieu les réceptions des ambassadeurs et les serments d'allégeance. Seul le sultan avait le droit d'y pénétrer à cheval. Les autres, y compris le grand vizir, devaient mettre pied à terre.

• **Les cuisines***. L'aile dr. regroupe les bâtiments des cuisines et des confiseries impériales, construits par Sinan au XVIe s. À cette époque, on y préparait de 4 000 à 5 000 repas par jour, et plus du double lors des grandes réceptions officielles. Dans les cuisines est présentée une partie de l'importante collection de **porcelaines chinoises*** des sultans, groupées par époques (Song 960-1279, Yuan 1280-1368, Ming 1368-1644). Le bâtiment en face des cuisines abrite des porcelaines et des cristaux d'origine européenne (porcelaines de Meissen, de Sèvres et de Limoges; cristaux de Bohême et de Venise). Remarquez, juste à l'entrée, la **maquette en argent*** de la **fontaine d'Ahmet III**.

• **Le Divan***. L'entrée du harem se situe de l'autre côté de la cour. En attendant le départ de la visite, vous visiterez le Divan *(en restauration en 2007)*, c'est-à-dire le **siège du gouvernement**, que surmonte une haute tour dite « tour de la Justice ». L'ensemble, que l'on appelle Kubbealtı (littéralement « sous la coupole »), est constitué de trois pièces à coupole. Il date du règne d'**Ahmet III** (1703-1730). Les vizirs prenaient les décisions politiques dans la salle du Conseil *(à g.)*, tandis que les deux autres pièces abritaient les archives et le cabinet du grand vizir. Le Trésor impérial ou armurerie se trouve dans le prolongement. Il renferme une collection d'armes, dont les épées des sultans ottomans depuis celle de Mehmet II le Conquérant.

• **Le harem*****. Au temps de Mehmet II, Topkapı était dépourvu de harem, et les femmes du sultan résidaient encore au Vieux Palais. C'est, semble-t-il, sur l'insistance de son épouse **Roxelane** que Soliman le Magnifique décida de transférer par étapes successives le harem à Topkapı. L'installation complète s'acheva sous le règne de Murat III, à la fin du XVIe s. Plus tard, les sultans multiplièrent le nombre de **corridors**, de **cours** et de **chambres**, donnant au harem cet aspect labyrinthique qui accentue son côté mystérieux. Après 1853, sous le règne d'Abdülmecit Ier, il fut transporté au palais de Dolmabahçe. La visite guidée *(au pas de*

histoire.

Le sérail, une ville dans la ville

Un document datant de la fin du XVIIe s. donne le chiffre astronomique de **14 000 personnes** vivant ou travaillant dans le palais : soldats, serviteurs, jardiniers, employés au service de l'arsenal, des cuisines ou des écuries, mais aussi musiciens, esclaves, eunuques, etc. Le sérail est comme une **enclave séparée** du reste de la ville. Le **grand seigneur et ses serviteurs** vivent là en vase clos, dans un isolement presque complet. **Les pensionnaires du harem et les domestiques** qui demeurent au-delà de la troisième porte n'ont jamais aucun contact avec l'extérieur et toute leur existence se passe dans les jardins et les pièces du palais. •

histoire.

Le lieu interdit

La vie quotidienne dans le harem (en arabe « lieu interdit »), où aucun étranger ne peut pénétrer, demeure très mal connue. Outre le sultan, le harem abrite une **centaine de femmes** (jusqu'à sept épouses légitimes et un nombre illimité de concubines ou odalisques), ainsi qu'une armada d'**eunuques** et de **servantes.** Ces dernières, de par leur statut d'esclaves, sont non musulmanes. Souvent d'origine caucasienne (les Ottomans raffolaient en effet des beautés azéries et géorgiennes), les servantes reçoivent un salaire et peuvent quitter le harem à l'occasion de leur mariage. Celles qui passent la nuit avec le sultan deviennent **odalisques.** Elles obtiennent le rang de **femme légitime** si elles mettent au monde un enfant mâle. La première à donner un fils au souverain a le titre de **première femme,** puis généralement de valide, c'est-à-dire de **sultane mère.** De telles rivalités et ambitions, exacerbées par le désœuvrement et l'enfermement, demandent des trésors de patience et provoquent des intrigues complexes dans lesquelles le **vizir du harem** *(kızlarağası)* joue un rôle prépondérant. •

course) fait découvrir une série de cours et de corridors articulant les différents secteurs du harem (secteur des eunuques ; appartements de la valide, des servantes, du sultan, etc.). Parmi les moments forts, il faut citer la décoration du **salon du Sultan (14)**, réservé aux divertissements, qui date du XVIIIe s. pour l'essentiel, ou celle de la **salle de Murat III** (17)**, tapissée de carreaux de faïence du XVIe s. La **bibliothèque d'Ahmet Ier** (18)**, avec ses incrustations de nacre, et la **salle à manger d'Ahmet III*** (19)**, dite aussi « salon aux Fruits » en raison de ses boiseries peintes en trompe l'œil (v. 1705), forment les deux plus belles pièces du harem. Côté nord, les **appartements du prince héritier (salon des Princes ; 20-21)** sont également splendides, particulièrement la coupole, les vitraux et les céramiques.

La troisième cour

On y accède par la **Bab-i-Saadet** (porte de la Félicité), dite aussi « porte des Eunuques blancs ». Cette porte servait de cadre aux grandes cérémonies officielles, données lors de l'accession au trône ou pour les funérailles des sultans. Elle ouvre sur une cour d'usage strictement privé.

- **Arz Odası** (pavillon des Audiences), près de Bab-i-Saadet. Le sultan y recevait les ambassadeurs étrangers, assis sur un trône à baldaquin (1596).
- **La bibliothèque d'Ahmet III** (1718), derrière le large auvent d'Arz Odası, est couverte d'une grande coupole centrale. À la sobriété extérieure contraste le chatoiement des murs intérieurs, tapissés de faïences d'Iznik.

Les **logements de la garde** personnelle du sultan, constituée d'eunuques blancs, occupent le pourtour de la troisième cour. Le pavillon situé derrière la mosquée des Ağalar (mosquée des Pages Blancs ; XVe s) abrite une collection de portraits des sultans. À côté, le **pavillon des Saintes Reliques*** (Has Oda) mérite le coup d'œil pour son très bel espace interne couvert de céramiques (remarquez la maquette en nacre du dôme du Rocher à Jérusalem). Dans la chambre à dr., un imam récite des versets du Coran. On aperçoit d'ici une seconde chambre, tapissée de précieuses faïences d'Iznik, où sont conservées les reliques du Prophète (le manteau – apporté ici sous Selim Ier au début du XVIe s. –, les épées, la lettre, le sceau, la dent et les poils de barbe de Mahomet). Tenu comme un lieu saint, l'endroit est inaccessible aux visiteurs.

• **Le Trésor****. Il occupe le pavillon construit par Mehmet II, en face du pavillon des Saintes Reliques. La première salle renferme des objets précieux – aigrette et pendentifs en émeraude ou encore épée de Soliman – ainsi qu'une éblouissante collection de trônes d'apparat. Le plus remarquable est le **trône** d'Ahmet Ier**: son baldaquin est orné de morceaux de cristal de roche et de pierres précieuses. Le trône de **Murat IV** est en ébène incrusté d'ivoire et de nacre, tandis que celui de **Mustafa III**, en or, brille de mille feux. Un quatrième trône, incrusté de pierres précieuses, date du XVIIIe s. Il est recouvert d'émaux rouges et verts, d'émeraudes, de rubis et de perles. Il a été offert au sultan **Mahmut Ier** par le shah de Perse. Dans la deuxième salle sont exposées des pièces d'orfèvrerie de diverses provenances. Vous y verrez, entre autres, la **coupe en jade**** offerte par le tsar Nicolas II au sultan Abdülhamit II. Après la salle où sont présentés des chandeliers (les plus grands, en or massif, pèsent 49 kg!), la visite du Trésor s'achève devant les joyaux du sérail, dont l'une des vedettes est le **poignard de Topkapı****, au manche incrusté d'émeraudes *(mur de dr.)*. Sur le mur du fond, le ***Kaşıkçı Elması****** (le «diamant du Marchand de cuillères»), de 86 carats, est serti de 49 autres diamants plus petits. La tradition assure qu'il aurait été acheté contre trois cuillères à un colporteur (d'où son nom). En comparaison, les **diamants** *Étoile brillante, Lumière de la nuit* ou encore *Porteur d'armes* paraissent presque minuscules…

Le *Sofa* impérial (quatrième cour)

Aussi appelée «*Sofa* de marbre», la quatrième cour est une terrasse aménagée au XVIIe s. sur plusieurs niveaux. Les sultans passaient une grande partie de leur temps

© Arnaud Galy

▲ Bois ouvragé incrusté de nacre, un art raffiné dont les sultans raffolaient.

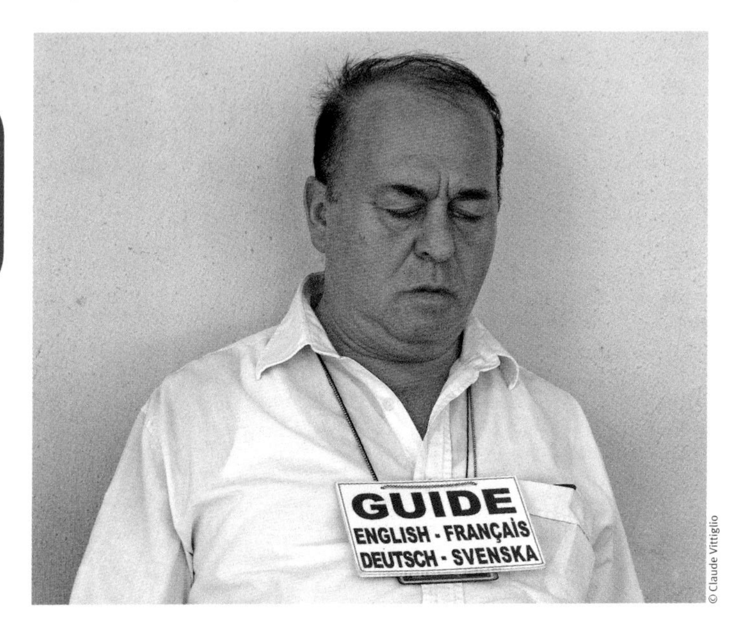

© Claude Vittiglio

▲ À Istanbul, on est polyglotte et polyvalent...

dans les différents **kiosques** décorés de faïence, de bois précieux et de nacre, au milieu d'une nature recréée et face à un horizon fabuleux.

• **Le pavillon d'Erevan** (Revan Köşkü). Situé près du bassin, il a été construit par Murat IV (1623-1640) pour commémorer la victoire d'Erevan, en Arménie (1635).

• **Le pavillon de la Circoncision***. Datant sans doute du règne de Soliman, mais remanié par la suite, il donne du côté de la Corne d'Or. Il prit son nom actuel après avoir accueilli la cérémonie de circoncision du futur Ahmet III.

• **Le pavillon de Bagdad**** (Bağdat Köşkü ; *en restauration en 2007*). Il célèbre la prise de cette ville par Murat IV en 1639 et la conclusion d'une paix avantageuse avec l'Iran. Avec ses murs recouverts de faïences d'Iznik et son somptueux décor intérieur où s'entremêlent bois précieux et nacre, c'est le plus beau kiosque de la cour.

• **Le kiosque d'Abdülmecit**. C'est la dernière construction élevée à Topkapı (1859). Depuis le belvédère et la cafétéria en contrebas s'offre une **vue**** splendide sur le Bosphore.

Revenez sur vos pas jusqu'à l'Ortakapı pour retrouver la première cour, d'où une rue à dr. (avant d'arriver devant Sainte-Irène) descend la colline et conduit aux musées archéologiques.

Les musées archéologiques***

Ouv. t.l.j. sf lun. 9h30-17h (f. du guichet à 16h). Le billet donne accès à l'ensemble des musées. Un panneau à l'entrée indique les salles et les départements ouverts à la visite.

Sous l'appellation de «musées archéologiques» sont regroupées trois collections bien distinctes. Le premier bâtiment *(à g.)* abrite le **musée de l'Ancien Orient**, possédant plusieurs chefs-d'œuvre de l'ère babylonienne. Séparé du précédent par un jardin de thé comme improvisé au milieu de sculptures et de vestiges archéologiques, le pavillon de **Çinili Köşk** renferme une collection de **céramiques**. Le grand bâtiment du **musée des Antiquités** s'élève juste en face. D'une grande richesse, il présente les objets grecs et romains trouvés sur le sol turc à Troie, à Éphèse et à Pergame, entre autres.

Le musée de l'Ancien Orient**

Les objets exposés proviennent de fouilles effectuées au XIXe s. en **Mésopotamie**, en **Égypte** et en **Arabie**, juste avant que ces régions ne quittent la sphère d'influence ottomane. Deux lions hittites (v. 820 av. J.-C.) encadrent l'escalier d'accès.

Vous découvrez d'abord des **antiquités préislamiques et égyptiennes**. Dans le couloir, le regard est accroché par les **reliefs en brique émaillée**** figurant des taureaux ou des lions; à l'origine, ils décoraient la porte d'Ishtar par laquelle passait la principale voie d'accès à la ville de Babylone sous le règne de Nabuchodonosor II (v. 605-562 av. J.-C.), illustre roi conquérant qui

une pause ?

Le kiosque d'Abdülmecit abrite le restaurant *Konyalı* qui permet un tête-à-tête avec le Bosphore et la mer de Marmara *(carnet d'adresses p. 144)*. •

art de vivre

Le kiosque

Les *köşk* (d'où provient le mot français «kiosque»), sont des **pavillons en bois** élevés dans les jardins, souvent à l'endroit le plus haut du domaine, afin de pouvoir jouir de la vue. Ils reprennent la forme des yourtes, tentes utilisées par les premiers Ottomans dans leur passé nomade. •

© Arnaud Galy

▲ Les reliefs en brique émaillée du musée de l'Ancien Orient redonnent vie à la prestigieuse Babylone du temps de Nabuchodonosor (VIe s. av. J.-C.).

détruisit le temple de Jérusalem et se heurta longtemps à l'Égypte. À g., le couloir donne accès à une grande salle renfermant des sculptures appartenant aux civilisations sumériennes (**statue de Puzur-Ishtar**★★, gouverneur de Mani, IIe millénaire av. J.-C.) et assyrienne (**reliefs du palais d'Assurbanipal II**★★ et **statue du roi Salmanazar III**★; IXe s. av. J.-C.). À dr., le couloir conduit à la section consacrée à l'âge du bronze en Anatolie, avec les importants vestiges du site néohittite (IXe-VIIIe s. av. J.-C.) de **Zincirli** (actuellement Islahiye). Dans une vitrine est exposée la tablette du **traité de paix de Qadesh**★★, rédigé vers 1289-1280 av. J.-C. après la victoire du roi hittite Mouwatalli sur le pharaon Ramsès II. Ce traité de paix passe pour le premier du genre : il mentionne l'obligation faite à chaque partie de renoncer à toute intention belliqueuse et d'échanger les prisonniers.

Le musée de la Céramique*

Construit en 1472 sous le règne de Mehmet II *(p. 162)*, le Çinili Köşk passe pour le premier monument ottoman d'Istanbul. D'après des documents, les sultans venaient assister ici à des concours sportifs, comme la lutte ou le *jirid*, une sorte de lancer de javelot. Après être passé sous l'arc tapissé de **carreaux de faïence**, vous trouverez à l'intérieur une rétrospective de l'art de la céramique depuis l'**époque des Seldjoukides** (XIIIe s.), près de l'entrée, jusqu'aux productions du XIXe s. de **Kütahya** (ville située entre Bursa et Ankara), en passant par les magnifiques créations d'**Iznik** (salle centrale), centre le plus important de 1350 à la fin du XVIIe s. *(p. 87)*. Ne ratez pas les **lampes de mosquée*** (celle de Sokollu Mehmet Paşa Camii, datée de 1572, dans la vitrine centrale), le ***mihrâb* d'Ibrahim Bey*** (1432), qui provient de la mosquée de Karaman, près de Konya (salle centrale), ou encore la **fontaine**** ornée d'un paon (1590; *au fond à g.*).

Le musée des Antiquités***

L'intérêt pour l'archéologie en Turquie commence sous le règne d'**Abdülmecit Ier** (1839-1861). Les pièces rapportées alors sont exposées dans l'église Sainte-Irène *(p. 56)*, puis au musée de la Céramique. En 1887, la découverte de la **nécropole de Sidon** (Saïda, au Liban) favorise la construction d'un véritable musée, inauguré quatre ans plus tard.

• **Rez-de-chaussée*****. Les salles abritant les **sarcophages** trouvés dans la nécropole de Sidon s'ouvrent à g. de l'entrée. Semi-pénombre, éclairage sophistiqué: tout est fait pour mettre en valeur ces créations des Ve et IVe s. av. J.-C. La première salle abrite le **sarcophage de Tabnit*** et la **momie d'un roi de Sidon**. De type égyptien, le sarcophage porte des **inscriptions** en phénicien apposées par le roi de Sidon et d'autres, en hiéroglyphes, par son premier occupant. On peut y lire les malédictions qui s'abattraient sur quiconque oserait violer cette sépulture. Plus loin, le **sarcophage lycien**** (Ve s. av. J.-C.), coiffé d'un dôme en marbre de Paros, montre une chasse au

histoire.
Les janissaires

Murat Ier (v. 1362-1389) crée une armée d'élite: les «**esclaves de la Porte**» ou janissaires (de *Yeniçeri*, nouvelle troupe), dont les membres sont d'**origine chrétienne.** Les musulmans en sont exclus, car un fils de vrai croyant ne peut devenir un esclave. Le sultan s'affranchit également de l'influence de l'aristocratie et des grandes familles, auxquelles les corps militaires prestigieux sont traditionnellement réservés. Il assoit ainsi son autorité sur une base qui lui est entièrement dévouée. Le recrutement des janissaires obéit à certains critères: être en bonne santé et de bonne moralité, avoir entre 5 et 18 ans, résider en milieu rural et n'être ni fils unique ni marié. Le futur janissaire est conduit à Istanbul, où il est éduqué pour servir en tant que page. Sous la surveillance des eunuques blancs, il reçoit une **solide instruction** (étude de l'islam, des arts, de la calligraphie et des langues). Au bout de quatre ans, les meilleurs demeurent au palais et occupent de **hautes responsabilités.** Les autres sont nommés administrateurs de province ou officiers dans l'armée du sultan. •

lion, une chasse au sanglier, ainsi qu'un combat de Centaures et de Lapithes avec d'étonnants effets de perspective (les chevaux sur l'une des faces latérales) et un réalisme saisissant. Le **tombeau du Satrape*** (fin ve s. av. J.-C.), moins bien conservé, aux formes plus rudes et plus stylisées, décrit la vie quotidienne d'un satrape (gouverneur de province), une chasse à la panthère avec ses préparatifs. La deuxième salle, séparée de la précédente par l'escalier

© Arnaud Galy

conduisant à l'étage *(voir Annexe 2, p. 66)*, est dominée par deux sarcophages. Le **sarcophage d'Alexandre***** (v. 350 av. J.-C., *p. 66*) et le **sarcophage des Pleureuses**** (360 av. J.-C.). Ce dernier présente 18 panneaux séparés par des colonnes ioniques où sont figurées des femmes exprimant, chacune à sa façon, la douleur. Au sommet, est figuré un cortège funéraire avec des jeunes hommes menant des chevaux vers le sacrifice.

▲ Les antiquités assyriennes, bien que d'esprit très oriental, rappellent l'art de la lointaine Égypte en présentant des processions de personnages de profil.

archéologie

Le sarcophage d'Alexandre

L'une des faces du sarcophage d'Alexandre illustre la **bataille d'Issos** (333 av. J.-C.), qui permit à **Alexandre le Grand** de vaincre les Perses de Darius et de se lancer à la conquête de la Phénicie et de la Syrie. À l'extrême g., Alexandre à cheval (coiffé du lion de Némée, symbole d'Hercule) piétine un ennemi et frappe un autre soldat perse dont le cheval vient de tomber à terre. L'autre face, qui relate une **chasse au lion**, est à peine moins tourmentée. Les notations réalistes sont aussi étonnantes, comme celle du lion s'agrippant au poitrail du cheval ou encore du lévrier plantant ses crocs dans la patte du fauve. Alexandre, ceint du bandeau royal, figure également sur cette scène. Au sommet du sarcophage, les béliers et les lions figurent la force d'Alexandre, protégé par le Soleil. ●

Les salles suivantes sont fermées au public. Il faut repasser devant la boutique du musée et rejoindre l'aile dr. Vous verrez là, par ordre chronologique, **sculptures** et **fragments de temples** de l'époque archaïque (VIIe-VIe s. av. J.-C.) au Bas-Empire romain (IVe s. apr. J.-C.). Dans chaque salle, de grandes photographies signalent les œuvres les plus significatives. Ne manquez pas la **collection de stèles attiques**** (VIe-Ve s. av. J.-C.), la **statue de Marsyas**** (IIIe s. av. J.-C.) attaché à un pin et écorché vif par Apollon pour avoir osé se mesurer à lui avec sa flûte, ou encore l'**Éphèbe de Tralles*** (Ier s. apr. J.-C.).

● **Annexe 1** *(accès par le passage situé en face de la boutique de souvenirs)*. Les galeries du rez-de-chaussée renferment des trouvailles archéologiques provenant des deux régions qui accueillent Istanbul: la Bithynie (côté asiatique) et la Thrace (côté européen). La première galerie s'intéresse à l'Antiquité, la seconde aux périodes paléochrétienne et byzantine: fragments d'**ambons*** (clôture du chœur) provenant de Thessalonique (VIe s. apr. J.-C.); **icône d'Eudocia**** (fin Xe s. apr. J.-C.), représentée couronnée, en pierre et marbre colorés. À l'étage, une très riche section intitulée «**Istanbul à travers les âges**» *(kat 1)* présente des pièces provenant des différents monuments civils et religieux de la cité romaine et byzantine. Le temple d'Athéna à Assos (VIe s. av. J.-C.), dont on voit la réplique du fronton en sortant de cette partie de l'annexe, est le seul exemple de temple archaïque d'ordre dorique en Anatolie.

● **Annexe 2** *(accès direct par l'escalier situé entre les deux salles consacrées à Sidon)*. Elle abrite les départements consacrés à «**l'Anatolie à travers les âges**» *(kat 2)* et aux «**cultures voisines de l'Anatolie**» (Chypre, Syrie et Palestine: *kat 3*). Le 1er niveau présente les résultats – décevants, du moins pour les non-spécialistes – des fouilles du site de **Troie**. On y découvre aussi des objets provenant de Yazılıkaya et de Gordion, ancienne capitale de la **civilisation phrygienne**, qui connut son heure de gloire au VIIIe s. av. J.-C., sous le **roi Midas**. Au 2e niveau, à la hauteur des sculptures archaïques chypriotes, remarquez, dans une vitrine, le **calendrier de**

Gezer*: il serait le plus ancien texte en hébreu connu à ce jour (952 av. J.-C.). Plus avant dans la galerie sont présentées de belles œuvres de la **civilisation parthe** (stèles et sarcophages vernissés), ainsi que des reliefs provenant de Palmyre, oasis du désert de Syrie.

En sortant, descendez la rue pour rejoindre l'entrée du parc de Gülhane et l'Alemdar Cad., où passe le tramway.

Autour des musées

La Sublime Porte

Dans le virage, en descendant l'Alemdar Cad.

Son portail en marbre sculpté est surmonté d'un vaste auvent de style rococo. Cette porte donnait accès à la résidence du grand vizir (elle donna, par extension, son nom au gouvernement ottoman). En face, **Alay Köşkü** (le pavillon de la Parade), en encorbellement sur la muraille, servait de poste d'observation aux sultans désireux de surveiller les allées et venues vers la Sublime Porte. Murat IV (1623-1640) utilisait ce kiosque pour s'exercer au tir à l'arc: il décochait ses flèches... sur les passants! Devant les protestations que souleva son épouvantable passe-temps, le sultan décida... de limiter le nombre de ses victimes à dix par jour!

♥ Soğukçesme Sokak**

Derrière Sainte-Sophie.

La petite «**rue de la Source-Froide**», d'allure villageoise, est bordée de maisons traditionnelles ottomanes reconstituées par le **Touring Club** (hôtel *Aya Sofya Pansyonları* et bibliothèque de Celik Gülersoy; hôtel *Konuk Evi*).

♥ Caferağa Medresesi

Flanc N de Sainte-Sophie (Caferiye Sok); au fond d'une impasse.

Cette ancienne *medrese* de Sinan abrite un café et une multitude de minuscules échoppes. Tout l'artisanat turc traditionnel est au rendez-vous dans ce lieu charmant, de la céramique jusqu'à la gravure ou la miniature, en passant par la fabrication de papier marbré ou d'objets en cuir. ●

2 | Sultanahmet★★★

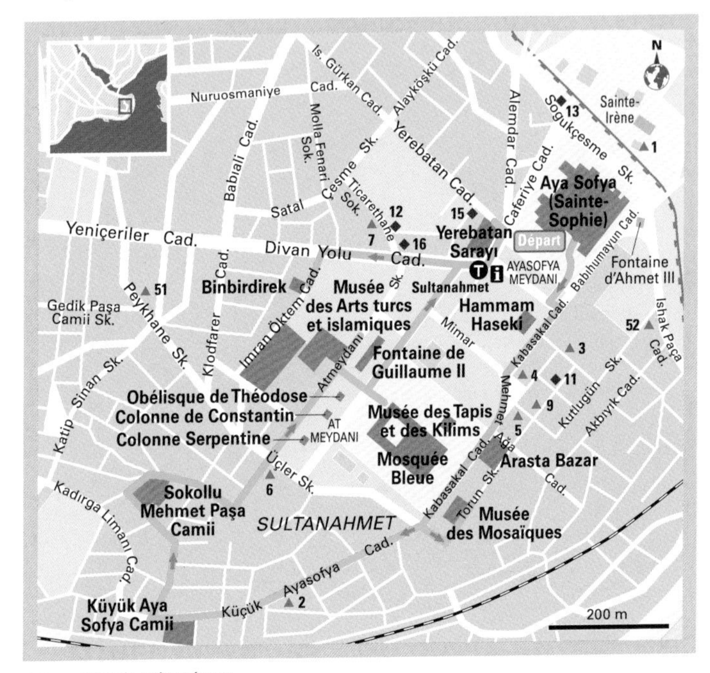

▲ Le quartier de Sultanahmet

Hébergement. 1 Ayasofya Pansyonları, 2 Eresin Crown Hotel, 3 Four Seasons, 4 Yeşil Ev, 5 Blue House Mavi Ev, 6 Ibrahim Paşa, 7 Nomade, 9 Uyan, 51 Cordial House, 52 Mavi Guesthouse.

Restauration. 11 Rami, 12 Rumeli Café, 13 Sarniç, 15 House of Medusa, 16 Tarihi Sultanahmet Köftecisi.

Au cœur du centre historique, chaque période de l'histoire de la cité a laissé un monument d'anthologie. Sainte-Sophie, matérialisation d'une chrétienté triomphante et du rêve mégalomaniaque de Justinien, fait face à la suprême élégance de la mosquée Bleue, laquelle domine les vestiges de l'hippodrome de Constantin. On en oublierait presque les autres curiosités, moins spectaculaires, mais peut-être plus attachantes, comme le fantastique Palais englouti (Yerebatan Sarayı) ou la mosquée Sokollu Mehmet Paşa de Sinan, resplendissante de faïences d'Iznik.

Sainte-Sophie***

Ouv. t.l.j. sf lun. 9 h 30-17 h (f. des guichets à 16 h 30). Entrée payante. Plan p. 70.

La basilique Sainte-Sophie (Aya Sofya) est le symbole de la **puissance byzantine** à son apogée. L'église frappe par son remarquable état de conservation et sa taille gigantesque qui, pour une **construction du VIe s.**, forcent l'admiration. Tout ici est hors d'échelle: les murs, les portes, les volumes. De 537, année de son inauguration, à 1453, date à laquelle elle fut transformée en mosquée, Sainte-Sophie demeura le plus grand édifice religieux jamais construit par la chrétienté!

L'endroit a vu se succéder plusieurs sanctuaires: un temple païen d'abord, puis une église, sous le règne de Constantin (IVe s.), que Théodose II rebâtit en 415 (ses vestiges se découvrent avant de pénétrer dans l'édifice actuel); cette dernière sera incendiée à la suite d'un grave soulèvement populaire en 532. Une nouvelle basilique est construite sur ordre de l'**empereur Justinien** *(p. 159)*. Elle doit, selon ce dernier, éclipser tout ce qui a été fait auparavant et surpasser le temple de Salomon.

Deux architectes, le **Lydien Anthémios de Tralles** et l'**Ionien Isidore de Milet**, s'attellent à la tâche. Rien n'est trop beau pour la «Grande Église»: les matériaux précieux affluent de tout l'Empire, et on va jusqu'à dépouiller l'une des Sept Merveilles du monde: le temple d'Artémis à Éphèse. L'inauguration a lieu cinq ans plus tard, en 537: un record! Devant ses sujets ébahis, Justinien lance alors le fameux «Je t'ai vaincu, Salomon». Rapidité excessive des travaux, mauvais calculs ou tremblement de terre, la coupole s'écroule en 539. Isidore de Milet la reconstruit, mais en diminuant son rayon et en la renforçant au moyen d'énormes **contreforts** qui donnent à l'édifice son actuel aspect trapu.

Le soir même de la prise de Constantinople, Mehmet II (1451-1481) fait son entrée solennelle dans Sainte-Sophie. Le sultan transforme immédiatement la basilique chrétienne en **mosquée**. Se considérant comme l'héritier des empereurs byzantins, il donne l'ordre de conserver

Départ: Sainte-Sophie; station de tramway Sultanahmet.

Durée: 1 journée.

Nombreux **restaurants** sur Divan Yolu et dans les environs. Pour prendre un verre, **terrasses** aux alentours de Sainte-Sophie ou de la mosquée Bleue (prix élevés!), cafétéria du musée des Arts turcs et islamiques ou, mieux, café installé dans le jardin de l'hôtel *Yeşil Ev*.

Attendez-vous à subir les **sollicitations** des cireurs de chaussures, des marchands de cartes postales ou de souvenirs et des rabatteurs des magasins de tapis...

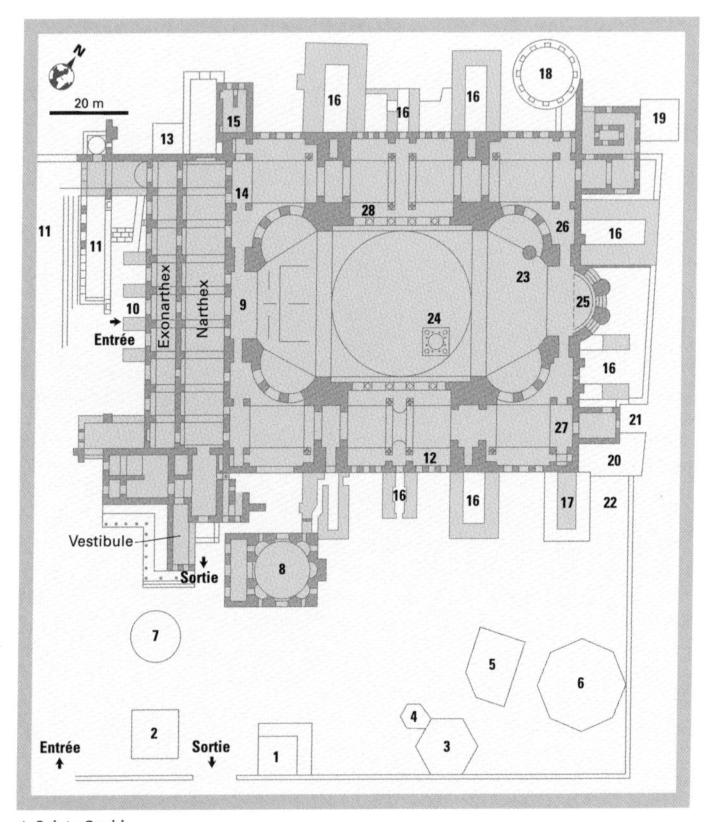

▲ Sainte-Sophie

1 Salle de l'Horloge, **2** Cuisine construite par Mehmet II, **3** Tombeau de Murat III, **4** Tombeau des Princes, **5** Tombeau de Selim II, **6** Tombeau de Mehmet III, **7** Fontaine des Ablutions, **8** Baptistère, tombeaux des sultans Mustafa I et Ibrahim, **9** Portes royales, **10** Restes du Clocher latin, **11** Vestiges de l'église de Théodose II, **12** Bibliothèque de Mahmut Ier, **13** Minaret du Sultan Selim, **14** Colonne suante, **15** Rampes des tribunes, **16** Contreforts byzantins, **17** Contreforts turcs, **18** Trésor (Skevophylakion), **19** Minaret de Beyazıt II, **20** Minaret de Mehmet II Fatih, **21** Porte orientale, **22** Puits sacré, **23** Loge impériale, **24** Omphalos, **25** Abside et *mihrâb*, **26** Passage aux Faïences, **27** Faïences (représentation de la Kaaba), **28** Portrait d'Alexandre (galerie).

les mosaïques et fait seulement remplacer l'image du Christ Pantocrator qui ornait la coupole par un texte coranique. Ce respect, Sainte-Sophie le doit à la **fascination qu'elle exerce sur les Ottomans**. Les architectes des sultans ne cesseront d'ailleurs d'imiter son plan audacieux lorsqu'ils érigeront les grandes mosquées impériales des XVe et XVIe s., notamment le plus grand d'entre eux, **Sinan**, avec la Süleymaniye *(p. 87)*. En 1935, **Atatürk** fera de Sainte-Sophie un musée, ce qu'elle demeure encore aujourd'hui.

L'église

- **Le narthex**. On pénètre dans l'étroit exonarthex précédé à l'origine d'une cour à colonnades ou atrium. Le narthex faisant suite, ouvrant sur la nef, a conservé son Christ en majesté** bénissant (au centre, au-dessus de la porte Impériale). Cette mosaïque, hiératique mais figurant un Christ profondément humain, est typique de l'art du IXe s.
- **La nef centrale*****. Elle éblouit par sa légèreté en total contraste avec l'extérieur massif de l'édifice. La **coupole**, image de la sphère céleste du royaume de Dieu, s'élève à 56 m du sol (l'équivalent d'un immeuble de 18 étages !) et repose sur quatre énormes piliers. Elle est soutenue à l'est et à l'ouest par **deux demi-coupoles** de même diamètre. Au nord et au sud, les **collatéraux** et les **contreforts** inesthétiques vus de l'extérieur contiennent l'importante poussée latérale qu'exerce la coupole centrale. L'effet voulu par les architectes de Justinien fonctionne toujours. Le regard est attiré de manière irrésistible vers le sommet de la coupole, sorte d'équivalent symbolique de l'élévation de l'âme. Puis vient l'impression d'écrasement, que l'on ressent encore, mais qui devait être bien plus impressionnante lorsque l'image gigantesque du Christ Pantocrator décorait l'immense demi-sphère. Dans l'abside, avec sa calotte décorée d'une mosaïque figurant une Vierge à l'Enfant du IXe s., a été aménagé le ***mihrâb***. Remarquez dans le collatéral dr., la **bibliothèque de Mahmut Ier** (1730-1754), couverte de céramiques

d'Iznik *(p. 87)*. En traversant la nef en diagonale pour atteindre la rampe menant aux **tribunes**, vous passez près de la **colonne suante de Saint-Grégoire**: elle passait pour guérir les maladies de la vue et favoriser les maternités. La coutume veut que le visiteur mette ses doigts dans un orifice de la colonne en faisant un souhait.

• **Les tribunes**. Leur visite permet de mieux admirer la coupole et de découvrir des panneaux de **mosaïques**, notamment des **images votives** offertes par les empereurs du XIe au XIIIe s. La tribune nord *(à g.)* n'en possède plus qu'une: le **portrait en pied d'Alexandre**. L'empereur au règne éphémère (912-913) est représenté vêtu du fastueux vêtement de cérémonie. Pour accéder à la tribune sud, il faut traverser la **loge impériale** (plan d'orientation), puis franchir la porte en marbre qu'empruntaient les membres du synode. Sur le mur derrière cette porte, une très expressive **Déisis**★★ (XIIe s.) fait face au tombeau d'Enrico Dandolo (v. 1108-1205), doge vénitien qui poussa les croisés à s'emparer de Constantinople en 1204. En face, sur l'autre tribune, remarquez deux mosaïques représentant des saints. Deux grands panneaux de mosaïques ornent l'extrémité de la galerie sud. L'un montre **le Christ avec l'impératrice Zoé** (1042) **et son troisième époux, l'empereur Constantin IX Monomaque**★★ (1042-1055) en train d'offrir la bourse rituelle à sainte Sophie lors de son accession au trône. Le second présente **la Vierge entourée de Jean II Comnène** (1118-1143), **de l'impératrice Irène et du fils de la souveraine**★★★. Il est significatif du changement de goût intervenu au XIIe s., quand l'art de la mosaïque trahit une plus grande recherche d'élégance.

• **Le vestibule**. Redescendu dans la nef, vous sortirez de la basilique en empruntant le vestibule (autrefois réservé à l'empereur). Il est décoré d'une mosaïque du Xe s. figurant une **Vierge à l'Enfant entourée de Constantin Ier et de Justinien**★. Constantin lui offre symboliquement la ville, tandis que Justinien lui fait don de la basilique Sainte-Sophie.

© Arnaud Galy

▲ Si Sainte-Sophie a perdu la plupart de ses mosaïques, l'intérieur n'en laisse pas moins une impression de grandeur littéralement hors du commun.

Le jardin

La fontaine garnie de sa ferronnerie dorée a été achevée en 1740, sous le règne de Mahmut Ier (1730-1754). Utilisée pour les ablutions quand Sainte-Sophie était une mosquée, elle réinterprète le **style rococo** à la manière ottomane.

Après avoir franchi les grilles de l'enceinte, prenez à g. pour rejoindre le hammam Haseki.

Autour du ♥ hammam de Roxelane

Le hammam (Hammam Haseki)

Ouv. t.l.j. 9 h-18 h 30 en été, 8 h 30-17 h 30 en hiver. Entrée libre.

Il a été construit par Sinan en 1556 pour **Roxelane**, l'épouse de Soliman le Magnifique. Il est à voir pour son architecture d'une grande pureté, mais aussi parce qu'il

© Fred Derwal/hemis.fr

▲ L'image d'Atatürk, dont on commémorera le 70e anniversaire de la mort en 2008.

abrite une **exposition-vente très complète de tapis** de diverses provenances *(p. 44)* et de copies d'anciens. Sa visite vous donnera en outre, plus prosaïquement, une idée du prix maximum (les tarifs, relativement élevés, sont affichés ici au m²) d'un *kilim* ou d'un tapis. Une bonne base de départ donc pour éviter des arnaques éventuelles dans les magasins du quartier...

Kabasakal Cad.

La « rue de la Barbe-Hirsute », qui longe le hammam, est bordée de boutiques de souvenirs (livres, céramiques, pipes en écume de mer, etc.) et par la belle bâtisse ottomane de l'**hôtel *Yeşil Ev***. Le café-restaurant installé dans le jardin de cet hôtel est l'un des plus agréables d'Istanbul.

Au lieu de vous diriger vers la mosquée Bleue, qui s'élève devant vos yeux, réservez sa vis. pour plus tard et prenez la rue qui longe l'édifice en contrebas à g. Vous jouirez d'une ***belle perspective*** *sur le monument.*

Vers la « petite Sainte-Sophie »

Aventurez-vous dans **Sultanahmet Arasta Bazar** *(ouv. t.l.j. 10h-20h)*, le « centre commercial » installé dans le complexe de la mosquée *(retape pénible et prix exorbitants)*. Le **musée des Mosaïques** *(Mozaik Müzesi; ouv. t.l.j. sf lun. 9h-16h30; entrée payante)*, sur la proche Torun Sok., conserve des fragments de mosaïques romaines découvertes lors des fouilles réalisées dans les alentours de la mosquée Bleue, là où se trouvait le palais des empereurs byzantins.

En continuant toujours tout droit, vous atteignez la ***Küçük Ayasofya Cad.****, qui descend vers la Küçük Aya Sofya Camii.*

♥ Küçük Aya Sofya Camii*

Ouv. au moment du culte.

L'ancienne église Saints-Serge-et-Bacchus, édifiée au début du règne de Justinien, entre 527 et 536, est comme perdue près de la voie ferrée, non loin des rives de la mer de Marmara. Elle est surnommée la « **petite Sainte-Sophie** » (Küçük Aya Sofya Camii) en raison d'une certaine ressemblance architecturale avec sa grande sœur. Si l'extérieur n'a rien d'inoubliable, l'intérieur surprend par sa clarté et par son ampleur.

Comme pour son illustre modèle, les architectes ont voulu magnifier l'**espace central**, ici en superposant deux étages de colonnes de marbre vert et rouge. L'accès aux tribunes est – chose unique à Istanbul – autorisé moyennant une petite obole au gardien. La récente restauration met en valeur la beauté des chapiteaux, ainsi qu'une partie du voûtement et de substructures d'époque byzantine.

En traversant un quartier très populaire, riche de nombreuses vieilles maisons en bois, vous rejoindrez ensuite la Sokollu Mehmet Paşa Camii.

♥ Sokollu Mehmet Paşa Camii*

Ouv. toute la journée ; entrée libre.

Modeste et entourée d'un cimetière plein de charme, cette œuvre de **Sinan** *(p. 179)* fut construite pour celui qui fut sans doute le meilleur grand vizir de l'histoire ottomane, Sokollu Mehmet Paşa. L'ancien janissaire occupa cette périlleuse fonction pendant plus de quatorze ans, de 1565 à son assassinat en 1579, sous trois sultans successifs (Soliman, Selim II, Murat III). Il fit élever la mosquée entre 1570 et 1572, alors qu'il assumait la réalité du pouvoir sous le très incompétent Selim II.

Du fait de la dénivellation, l'accès s'effectue par un tunnel. L'effet de surprise est garanti une fois arrivé dans la cour. La **salle de prière** s'ouvre par un porche surmonté de magnifiques stalactites et d'une coupole ornée de faïences. L'intérieur est décoré de **faïences d'Iznik**. Elles couvrent les pendentifs de la coupole et l'ensemble du ***mihrâb*****, où elles adoptent des formes florales (œillets et chrysanthèmes). Ce chatoiement de couleurs est renforcé par la présence de **vitraux polychromes**.

En sortant du côté de l'ancien couvent de derviches (situé sur la g. de la mosquée), vous quittez ce quartier et grimpez vers At Meydanı.

▲ En vue aérienne, le moutonnement de coupoles de la mosquée Bleue n'est pas sans évoquer la danse des derviches tourneurs.

At Meydanı*

Sur cet espace oblong s'étendait l'**hippodrome** construit par **Septime Sévère** au début du IIIe s. et agrandi par **Constantin** au IVe s. Au centre de la piste s'élevait la ***spina***, sorte de terrasse où se dressaient plusieurs monuments, dont subsistent aujourd'hui la colonne de Constantin, la colonne Serpentine et l'obélisque de Théodose. Les **courses de chars**, attelés de deux ou quatre chevaux, furent organisées jusqu'aux environs de l'an mil.

La colonne Serpentine*

De forme spiralée, elle a été rapportée du **temple d'Apollon** de Delphes, où elle célébrait la victoire grecque de Platées (v. 479 av. J.-C.) sur les Perses conduits par Xerxès. Constantin avait décoré le sommet de la colonne de têtes de serpents supportant un trépied et un vase d'or pur. Ces ornements ont été détruits par les sultans, car considérés comme des images démoniaques.

| La colonne de Constantin

Érigée au IVe s. à l'aide de blocs grossièrement taillés, elle doit son nom à Constantin Porphyrogénète (913-959) qui la fit recouvrir de plaques de bronze. Celles-ci furent arrachées par les croisés en 1204.

| L'obélisque*

Décorant le tombeau du pharaon Thoutmôsis III (1504-1450 av. J.-C.) à Karnak, en Égypte, il fut rapporté à Constantinople par **Théodose Ier** au IVe s. Le socle est orné d'un **bas-relief** représentant Théodose entouré de ses fils Arius et Arcadius en train de remettre des couronnes aux vainqueurs des courses de l'hippodrome. Sur les autres faces, l'empereur reçoit l'hommage des vaincus.

À l'extrémité de l'esplanade, se dresse la **fontaine de l'Empereur Guillaume II**. Elle commémore la visite de l'empereur allemand au sultan Abdülhamit II en 1895.

|| Le musée des Arts turcs et islamiques*

Ouv. t.l.j. sf lun. 9 h 30-16 h 30, 17 h 30 en été. Entrée payante.

Le **palais d'Ibrahim Paşa**, grand vizir de Soliman le Magnifique, est l'un des rares exemples d'architecture civile du XVIe s. Il abrite des pièces superbes, comme cette **porte*** de la grande mosquée de Cizre (XIIe-XIIIe s.). L'ensemble de **tapis anciens*** est remarquable. On y découvre plusieurs spécimens de tapis Bellini, Holbein ou Lotto, ainsi nommés parce que leurs motifs se retrouvent dans les tableaux de ces maîtres. La dernière salle présente des œuvres de dimensions grandioses et de délicates enluminures (XVIe-XVIIe s.). Au sous-sol, une section d'ethnographie retrace l'évolution du mode de vie en Anatolie à travers des reconstitutions d'intérieurs. Du café installé à la belle saison dans le jardin, la **vue**** sur la **mosquée Bleue** justifie à elle seule le billet d'entrée.

histoire

L'hippodrome

L'hippodrome était bien plus qu'un lieu de réjouissances sportives. C'était un centre important de la vie politique et le seul véritable lieu où le peuple pouvait s'exprimer. Des factions s'y opposaient avec une virulence qui pouvait aller jusqu'à l'émeute. Traditionnellement, les Verts, proches de la plèbe, s'opposaient aux Bleus, dont les membres étaient généralement issus de l'aristocratie et favorables à l'empereur. Aux différences d'origine sociale s'ajoutaient des dissensions religieuses : la noblesse soutenait les thèses officielles du dogme, tandis que le peuple et ses chefs se montraient moins regardants envers l'orthodoxie, voire franchement favorables aux hérésies. ●

La mosquée Bleue***

Ouv. t.l.j. 8h-18h. Son et lumière tous les soirs en saison, selon les jours en langue turque, anglaise, allemande et française. Rens. auprès de l'office du tourisme ou des hôtels. Entrée libre.

La mosquée Bleue (Sultan Ahmet Camii) doit son surnom aux **faïences d'Iznik** qui tapissent l'intérieur. Construite entre 1609 à 1616 par un élève de Sinan, **Mehmet Ağa**, elle est la dernière construction de grande envergure d'un empire déjà sur le déclin. Ahmet Ier, son bâtisseur, souhaitait qu'elle soit l'égale de la Grande Mosquée de La Mecque : il la dota donc de **six minarets**. Le sultan régla le grave conflit religieux qui s'ensuivit... en offrant un septième minaret à la mosquée de la Kaaba. Jusqu'au siècle dernier, les caravanes de pèlerins se rendant à La Mecque partaient d'ici. L'endroit fut aussi choisi par Mahmut II (1808-1839) pour proclamer la dissolution de l'armée des janissaires *(p. 63)*.

Le complexe *(külliye)*

Autour de la cour sont installés les différents **bâtiments** : l'*imaret* (hospice pour les pauvres), le réfectoire, l'école de théologie, l'hôpital, le marché (Sultanahmet Arasta Bazar, *p. 74*) et des tombeaux (Ahmet Ier, son épouse, ses fils Osman II et Murat IV). Le pavillon impérial (Hünkar Kasrı, dans l'aile N-E) abrite l'intéressante collection de tapis anciens du **musée des Tapis et Kilims** *(ouv. t.l.j. sf dim. et lun. 9h-16h ; entrée payante)*, mise en valeur par une belle présentation.

La mosquée

Elle adopte un plan simple, avec quatre demi-coupoles épaulant une grande coupole centrale. Cette dernière repose sur quatre énormes piliers rainurés comme des colonnes : « les pattes d'éléphant ». Le plus remarquable ne réside pas dans le traitement architectural, sans innovation véritable, mais dans celui de la lumière. Elle pénètre à flots par les **260 fenêtres** que compte la mosquée Bleue. Elle se reflète sur les carreaux de faïence bleus et donne à l'ensemble de l'espace intérieur une atmosphère inimitable, presque irréelle. La galerie du 1er étage *(fermée*

▲ Éclairage fantasmagorique et musique soulignent les mystères du « Palais englouti ».

aux vis.) est la partie la plus belle de l'édifice. Les murs sont revêtus de faïences d'Iznik qui figurent le « **jardin de Paradis** ». Vous vous consolerez toutefois en admirant le ***minbar**** et le ***mihrâb***.

*En sortant du côté de l'At Meydanı, rejoignez le **Divan Yolu**, où passe le tramway. De l'autre côté de la rue, se dresse le Milliaire d'Or, borne à partir de laquelle les Byzantins calculaient les distances dans l'Empire. L'entrée de la citerne de Yerebatan se trouve derrière le monument, sur Yerebatan Cad.*

♥ Yerebatan Sarayı**

Ouv. t.l.j. 9 h-17 h 30 (horaire étendu en été). Entrée payante. www.yerebatan.com.

Ce que les Ottomans ont baptisé le « **Palais englouti** » (Yerebatan Sarayı) est en réalité une **citerne souterraine**

architecture
Un décor de cinéma

Vous connaissez déjà la citerne de Yerebatan si vous avez vu *Bons baisers de Russie* : elle a servi de cadre à ce James Bond de la meilleure époque ! La visite s'effectue sur un fond musical avec des éclairages censés accentuer le côté mystérieux du lieu. Vous y trouverez également un café... ●

construite sous Constantin (306-337) et agrandie sous Justinien (527-565). Elle était raccordée à l'aqueduc de Valens et alimentait le palais de l'empereur situé non loin de là, près de l'hippodrome. La citerne, avec ses **12 rangées de 28 colonnes** supportant des voûtes en briques, pouvait contenir **80 000 m³** d'eau. Elle faisait partie d'un vaste système de réservoirs (plus de 60), installés à l'intérieur de l'enceinte par les Byzantins. L'endroit, avec ses colonnes se reflétant dans l'eau, est étonnant. Certains chapiteaux corinthiens sont de toute beauté. La restauration a permis de découvrir d'étonnantes **bases sculptées*** dont l'une représente une tête de Méduse.

La sortie s'effectue sur Alemdar Cad., à côté de Sainte-Sophie. Revenu sur Divan Yolu, poussez jusqu'à l'Imran Öktem Cad., où se trouve l'entrée d'une autre citerne byzantine.

|| Binbirdirek*

Horaire susceptible de modifications en raison des spectacles donnés dans la citerne : rens. à l'entrée, sur www.binbirdirek.com ou à l'office du tourisme. Entrée payante (le billet donne droit à une consommation).

La « citerne des **Mille et Une Colonnes** » est la plus grande d'Istanbul, après celle de Yerebatan. Construite par le sénateur **Philoxenos** sous le règne de Constantin (306-337), sans doute transformée au VIe s., elle compte « seulement » **224 colonnes** et pouvait contenir **50 000 m³ d'eau**. Elle était utilisée comme marché par les tisserands à l'époque ottomane. La citerne abrite maintenant une sorte de complexe destiné aux groupes de touristes ou à l'organisation de mariages (boutiques, café, restaurant, spectacles). Remarquez la grande simplicité architecturale, les **chapiteaux trapézoïdaux** et les colonnes simplement constituées de fûts réunis par un tambour cylindrique. ●

3 | Les bazars★★★

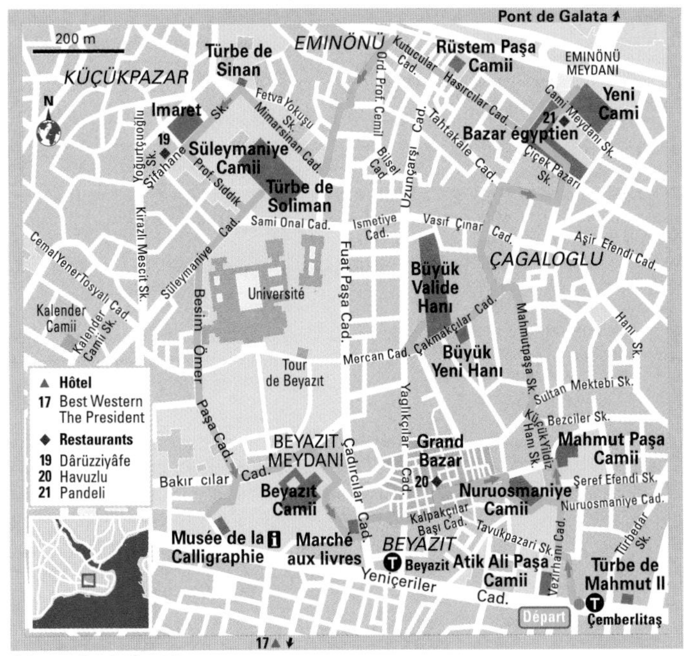

▲ Le quartier des bazars

Dans le triangle compris entre le Grand Bazar, la mosquée de Soliman et le pont de Galata, aussi appelé pont de Karaköy, Istanbul ne donne pas dans la demi-mesure. La ville ne sacrifie plus qu'à un seul dieu : le commerce. Ce gigantesque bric-à-brac ménage tout de même des refuges : les mosquées. La Rüstem Paşa Camii est l'une des plus attachantes de la ville avec ses merveilleuses faïences d'Iznik, sans oublier la célèbre Süleymaniye, aboutissement du travail à Istanbul du plus grand architecte ottoman, Sinan.

Départ : station de tramway Çemberlitaş.

Durée : 1 journée.

Partez assez tôt le matin. Vous atteindrez le Bazar égyptien pour le déjeuner. L'après-midi, grimpez jusqu'à la Süleymaniye, puis redescendez vers le Grand Bazar. Avant d'y arriver, faites un stop à l'une des terrasses de cafés de la Beyazıt Medanı.

commerce
Les *han*

À l'époque ottomane, les caravansérails *(han)* disposés en cercle autour du Grand Bazar servaient à centraliser les **marchandises** venant des quatre coins de l'Empire. Les plus anciens d'entre eux datent du XVIIe s. Ces constructions, un peu délabrées, sont formées d'une ou de plusieurs **cours** ouvertes que borde un niveau de **galeries**. À l'étage, les chambres accueillaient les marchands. Aujourd'hui, encombrées de ballots de textile et bourdonnant du cliquetis des métiers à tisser, elles servent de réserves ou abritent des **ateliers** de confection. ●

Çemberlitaş (la Colonne brûlée)

Elle fut élevée par Constantin quand la ville devint la capitale de l'Empire. Selon la légende, l'empereur aurait scellé dans ses fondations la statue d'Athéna rapportée de Troie par Énée, la cognée de Noé et la pierre frappée par Moïse d'où avait jailli une source. Au sommet, il fit dresser sa propre statue dans laquelle étaient insérés des fragments de la Vraie Croix et des clous de la Passion. Son nom actuel lui fut donné après 1779, date de l'incendie qui l'endommagea gravement.

Nuruosmaniye Camii

Ouv. aux heures de culte ; entrée libre.

La « mosquée de la **Lumière d'Osman** » (Nuruosmaniye) a été construite entre 1748 et 1755 sous les sultanats de Mahmut Ier (1730-1754) et d'Osman III (1754-1757).

Mahmut Ier entendait rompre avec les formules classiques de l'architecture religieuse imposées par Sinan *(p. 179)*. Il souhaitait laisser à la postérité un édifice monumental s'inspirant du **style baroque** en vigueur dans l'Europe de son temps.

Devant l'opposition du clergé, le souverain trouva un compromis. L'allure traditionnelle d'une mosquée était respectée (salle de prière cubique surmontée d'une coupole hémisphérique), mais quelques éléments dérivés de l'art baroque trouvaient une illustration : forme ovale de la cour et accent mis sur les motifs structuraux très décorés à l'intérieur.

Mahmut Paşa Camii

Un peu plus loin, de l'autre côté de la Vezirhan Cad. Ouv. aux heures de culte ; entrée libre.

Beaucoup plus ancienne et de taille bien plus modeste que la Nuruosmaniye Camii, elle est précédée du superbe **mausolée**★ *(türbe)* couvert de faïences de son bâtisseur, Mahmut Paşa, grand vizir de Mehmet II, décapité en 1474.

© Thierry Borredon/hemis.fr

▲ L'Istanbul commerçante, fébrile et hyperactive du quartier des caravansérails, entre le Grand Bazar et la Corne d'Or.

♥ Les *han*★

Les deux mosquées marquent l'entrée dans le secteur le plus commerçant de la ville, un véritable labyrinthe de ruelles et de galeries regorgeant de marchandises les plus variées. Malgré l'apparente anarchie, **boutiques** et **étals en plein air** s'organisent suivant une sectorisation encore visible. Ainsi, vous rencontrerez des rues vouées au commerce du linge de maison, de robes de chambre, de robes de mariées, de bijoux de pacotille, de jeans, de vêtements de cuir, de jouets…

▲ Beaucoup d'anciennes maisons ottomanes en bois, vétustes et vermoulues, ont dû être détruites. Plusieurs d'entre elles, entre la mosquée de Soliman et l'aqueduc de Valens (quartier de Küçükpazar) ont été relevées ou restaurées.

En dehors de l'animation et du spectacle des gens en pleine négociation, les **anciens caravansérails** ou *han* constituent l'intérêt majeur de ce quartier. Les plus significatifs d'entre eux bordent la **Çakmakçılar Cad.**, domaine des commerces de tissus imprimés *(en bas à g. de la Mahmut Paşa Yokuşu)* : le **Büyük Yeni Hanı**⋆ *(à g.)* avec ses deux cours successives, et le très vaste **Büyük Valide Hanı**⋆ *(entrée plus loin à dr., en montant jusqu'à l'angle d'une rue)*, constamment envahi par toutes sortes de véhicules ; ceux qui ne craignent pas d'arpenter un sol défoncé dans une obscurité presque totale peuvent en faire le tour en montant à l'étage.

En revenant sur vos pas jusqu'à la Mahmut Paşa Yokuşu, poursuivez la descente jusqu'à la Corne d'Or. En vous laissant porter par le flux de la foule, vous atteindrez l'entrée du Bazar égyptien.

Le ♥ Bazar égyptien★★

Ouv. t.l.j. sf dim. 9h-19h.

Le **marché aux Épices** (Mısır Çarşısı), achevé autour de 1660 sous l'impulsion de la sultane Hatice Turhan, mère de Mehmet IV, était destiné à financer l'entretien de la proche Yeni Cami. Son état actuel date de la reconstruction effectuée en 1943. Certains esprits chagrins trouvent qu'il s'est banalisé avec l'invasion de **bijoutiers**, mais l'odeur des épices fait toujours autant tourner la tête. Comparé à l'agitation perpétuelle du quartier alentour, le Bazar égyptien apparaît presque comme un havre de paix. Outre les vendeurs d'épices, vous trouverez dans ce lieu parfumé et typiquement oriental des marchands de **vannerie** et d'**objets en cuivre**, des **boucheries** et un choix de **loukoums** à grimper aux rideaux. Ceux que le marchandage rebute y feront leurs emplettes en toute quiétude: l'affichage des prix, quasi inexistant ailleurs, est presque courant au Bazar égyptien.

En sortant du bazar, vous débouchez face à la Corne d'Or.

Yeni Cami★★

Ouv. toute la journée; entrée libre.

La «**Nouvelle Mosquée**» (Yeni Cami) s'appelle aussi «**nouvelle mosquée des Sultanes Mères**» (Yeni Valide Camii). Commencée en 1597, elle fut construite à l'initiative de Safiye, mère de Mehmet III, par un élève et successeur de Sinan au poste d'architecte en chef, **Davut Ağa**. La mère de Mehmet IV, Turhan Valide, réactiva le chantier interrompu par la mort de Mehmet III. La mosquée fut terminée en 1663.

Par son plan (un cube surmonté d'une coupole épaulée par quatre demi-coupoles), la Yeni Cami est l'un des deux grands édifices - avec la mosquée Bleue - de la ville en filiation directe avec les grandes créations de Sinan. L'extérieur est très harmonieux, avec son **élégante succession de coupoles** et ses **deux minarets à triple encorbellement**. Un majestueux escalier donne accès à la cour et à sa fontaine ornée de grilles en bronze à

histoire

Épices d'Égypte

Le Bazar égyptien, spécialisé dans la vente des épices et des condiments dès sa fondation, devrait son nom au fait que les marchandises vendues provenaient essentiellement d'Extrême-Orient en passant par l'Afghanistan, l'Iran, puis la mer Rouge et l'Égypte (*mısır* en turc). Avant la reconstruction de 1943, les marchands se tenaient assis sur des bancs au bord des allées, devant de minuscules échoppes où ils préparaient les remèdes. Au-dessus de chacune d'entre elles était suspendu l'emblème indiquant sa spécialité de guérisseur. ●

marché

L'esplanade de la Yeni Cami, lorsqu'elle n'est pas envahie de nuées de pigeons, est noire de monde au moment du marché (le matin), le plus grand d'Istanbul. Si vous aimez les bains de foule, allez-y le dimanche vers midi, ambiance garantie! ●

▲ La fontaine aux ablutions rituelles se dresse au milieu de la cour de chaque mosquée (ici la Yeni Cami).

motifs géométriques. L'intérieur est décoré de **faïences* d'Iznik** et de stalactites.

Après avoir fait une pause au proche café établi sous les arbres (prix similaires à ceux des Champs-Élysées !), du côté du marché aux fleurs, traversez la ***grande esplanade*** *qui s'étend face au pont de Galata. Prenez ensuite n'importe quelle ruelle vers la g. De nouveau, les senteurs émanant des sacs remplis de curry, de poivre ou de cannelle des marchands d'épices à la criée se font enivrantes. Bien vite, le long de l'***Hasırcılar Cad.***, les coupoles de la Rüstem Paşa Camii, émergent d'un rez-de-chaussée de boutiques et d'ateliers sous arcades.*

♥ Rüstem Paşa Camii**

Ouv. toute la journée ; entrée libre.

La mosquée construite par Sinan vers 1560 sur ordre de Rüstem Paşa, **grand vizir** et **gendre de Soliman le Magnifique**, est l'une des plus belles de la ville. D'un abord modeste, elle se cache parmi des constructions vétustes mais charmantes. Elle surprendra d'autant plus le visiteur par sa richesse intérieure. L'accès s'effectue par d'étroits escaliers qui ménagent un effet de surprise en arrivant dans la **courette** intérieure, simple terrasse suspendue au-dessus de l'agitation de la rue.

Le **mur***** du péristyle, tapissé de **faïences d'Iznik**, n'est qu'un avant-goût de **l'admirable intérieur*****, presque entièrement tapissé de carreaux aux **motifs floraux** aussi magnifiques que variés. Hormis à la Sokollu Mehmet Paşa Camii *(p. 75)* et dans le harem de Topkapı *(p. 57)*, vous ne reverrez plus une telle profusion de couleurs et un endroit aussi magique…

*Sur l'**Hasırcılar Cad.**, les marchands d'objets en bois puis les ferblantiers supplantent les marchands d'épices. Traversez ensuite le boulevard (Uzunçarsı Cad.), puis empruntez une ruelle en face (légèrement sur la g.) qui part à l'assaut de la colline où se dresse la Süleymaniye.*

Süleymaniye Camii***

Ouv. toute la journée ; entrée libre.

Son site magnifique, dominant la ville, son architecture pleine d'élégance et ses proportions monumentales en font l'**édifice emblématique de la puissance ottomane**. La construction débute en juin 1550 (dès 1547, selon certaines sources), au milieu du règne de Soliman. Le sultan nomme bien sûr Sinan maître d'œuvre, à charge pour l'architecte d'édifier un monument qui puisse éclipser les réalisations de ses prédécesseurs et rivaliser avec la Sainte-Sophie de Justinien, empereur dont il s'estime l'héritier. L'inauguration a lieu en août 1556, six ans après le début des travaux – soit à peu près le même temps que réclama la construction de Sainte-Sophie – tout un symbole…

artisanat

Les faïences d'Iznik

Les carreaux de faïence fabriqués à Iznik (entre Istanbul et Bursa), le centre de production le plus important de 1350 à la fin du XVIIe s., se caractérisent par leur naturalisme floral. Tulipes, narcisses, jacinthes, roses, lis, violettes, fleurs de grenadiers se mélangent à de sveltes feuilles lancéolées, à des cyprès stylisés ou à des éléments empruntés à l'art extrême-oriental (la pivoine, le thème des « trois boules » et des « éclairs »). Tous ces motifs entremêlés se distribuent uniformément sur la surface et se répètent à l'infini. Rien d'étonnant que le peintre Henri Matisse y ait été si sensible. Vers 1550-1650, la palette s'enrichit. Au traditionnel bleu, s'ajoutent le rouge tomate, le bleu cobalt et le vert turquoise, tandis que le blanc et le noir sont réservés aux contours. Iznik décline au XVIIe s. et Kütahya prend alors le relais. Avec leurs couleurs un peu fanées et le dessin moins précis, les faïences de Kütahya ne parviendront jamais à rivaliser. ●

architecture

Une « Sainte-Sophie ottomane »

L'allure de la Süleymaniye résulte sans aucun doute d'une concertation entre Sinan et Soliman, qui imposa à son architecte un rigoureux cahier des charges. L'idée directrice était de « sublimer » l'architecture de Sainte-Sophie, en adoptant un plan général (une coupole épaulée par deux demi-coupoles) et des dimensions très voisines de la basilique de Justinien. Sinan réutilisa par ailleurs de nombreuses colonnes antiques, suivant très probablement en cela un vœu cher à Soliman. Celles en granit rose ou en marbre qui supportent les grands tympans ajourés proviennent d'Assouan, en Égypte. Quant aux quatre colonnes soutenant la coupole centrale, deux sont d'origine constantinopolitaine et deux proviennent d'Alexandrette (la « petite Alexandrie », aujourd'hui Iskenderun, près d'Antakya). ●

Le complexe

La mosquée de **Soliman le Magnifique** *(p. 163)* s'élève sur la troisième des sept collines d'Istanbul. L'étroite ***Mimarsinan Cad.*** longe le complexe *(külliye)* et aboutit au petit ***mausolée*** où repose Sinan. La modestie du monument résume l'humilité du bâtisseur de la Süleymaniye. En prenant la ***Şifahane Sok.*** *(à g.)*, vous verrez d'autres bâtiments : l'***imaret*** (ancien hôpital) abrite un excellent restaurant *Dârüzziyâfe (p. 145)* puis les anciennes cuisines *(à côté)*, dont la cour intérieure accueille un poétique café.

Le sanctuaire

Avec son subtil agencement de coupoles qu'accompagnent ses quatre minarets (ils comptent dix balcons en tout, soit le rang de Soliman dans la dynastie d'Osman, dixième sultan ottoman), la Süleymaniye semble se projeter vers le ciel. L'impression d'aération que dégage la salle de prière est sans aucune commune mesure avec celle que l'on ressent dans la nef de Sainte-Sophie. L'effet est dû à l'absence de tribunes et de cloisonnement de l'espace, ainsi qu'à l'utilisation de l'**arc brisé** au lieu de l'arc en plein cintre byzantin. À la Süleymaniye, la lumière pénètre sans contrainte. Elle se reflète sur les surfaces claires, sans laisser d'endroit dans la pénombre et illumine les somptueux **vitraux** de part et d'autre du ***mihrâb***. Les **inscriptions calligraphiques**, très fines, passent pour les plus belles du monde musulman. Elles sont l'œuvre d'Ahmet Karahisari (XVIe s.), qui était capable d'écrire un mot de 60 manières différentes…

Les tombeaux

Le **mausolée de Soliman*** *(vis. t.l.j. sf lun. et mar. 9 h 30-16 h 30; entrée libre hors saison)*, qui se dresse dans le cimetière à l'arrière de la mosquée, est l'un des plus élégants édifices de ce type construits par Sinan. Sa forme générale évoque les yourtes (tentes) d'apparat du lointain passé nomade des Ottomans. L'intérieur, tapissé de **faïences d'Iznik**, renferme les tombeaux du sultan, de deux de ses fils, de sa fille Mihrimah, de sa mère et d'autres membres de sa famille. La femme de Soliman, Roxelane (Haseki Hürrem), repose dans le mausolée voisin *(mêmes horaires)*, lui aussi décoré de faïences du XVIe s. évoquant le « jardin de Paradis ».

Quittez le quartier en prenant la Süleymaniye Cad, puis longez l'enceinte de l'université par la Besim Ömer Paşa Cad.

Autour de Beyazıt Meydanı

La **vaste esplanade** s'étendant entre l'université et la mosquée de Beyazıt, quand elle n'est pas envahie de marchands ambulants de livres, est le lieu des grands rassemblements protestataires.

Au sud, près de la Yeniçeriler Cad., l'artère où passe le tramway, le petit **musée de la Calligraphie** *(Türk Vakif Hat Sanatları Müzesi; vis. t.l.j. sf dim. et lun. 9h-16h; entrée payante)*, occupe une ancienne ***medrese**** appartenant au complexe de la mosquée de Beyazıt. Il présente une série de corans et abrite aussi la reconstitution d'un atelier à l'époque ottomane. Il permet surtout de mesurer l'importance de la calligraphie : l'art noble par excellence dans le monde musulman.

détour

Après avoir visité les tombeaux de Soliman et de Roxelane, allez admirer le **panorama* sur la Corne d'Or** et la **tour de Galata** *(p. 118)* depuis le belvédère : un moment grandiose à ne pas manquer. ●

3 itinéraire

© Arnaud Galy

▼ **Les commanditaires des mosquées sont inhumés avec leurs proches dans des tombeaux ou *türbe* situés à l'arrière de la salle de la prière. La décoration de ces mausolées est en tout point digne d'un palais.**

Beyazıt Camii*

Ouv. toute la journée ; entrée libre.

Construite par Beyazıt II (1482-1512) de 1500 à 1506 sur l'emplacement de l'ancien forum de Théodose, elle est le **premier sanctuaire impérial** élevé à Istanbul et la première illustration de la forme à **coupole centrale contrebutée par deux demi-coupoles**, c'est-à-dire le schéma classique des mosquées à venir. Elle conserve toutefois le plan en T typique des premières mosquées ottomanes. Derrière l'édifice se cachent les **mausolées du fondateur Beyazıt II** et de **Koca Reşit Paşa** (mort en 1857), l'un des grands réformateurs de l'Empire.

Pour rejoindre le Grand Bazar, vous traverserez le sympathique ♥ ***Sahaşar Çarşısı****, l'un des plus anciens* ***marchés aux livres*** *d'Istanbul. Vous y trouverez beaucoup de dictionnaires et de manuels universitaires, mais aussi des livres d'art, des reproductions et des gravures.*

mode d'emploi

Même envahi de touristes, le Grand Bazar (Kapalı Çarşı), ou marché couvert, est un univers à lui seul à ne pas manquer. Oubliez plans et cartes et laissez-vous guider au gré de votre inspiration du moment, quitte à vous perdre. Ici, tout le monde est au minimum quadrilingue, et l'on s'adressera même spontanément à vous dans votre langue maternelle. Restez vigilants lors de vos achats. N'oubliez pas que les commerçants du Grand Bazar sont habitués aux touristes et qu'ils sont très durs en affaires. ●

Le Grand Bazar**

Ouv. t.l.j. sf dim. 9 h-19 h.

Le Grand Bazar regroupe env. **4000 boutiques**, mais aussi des **mosquées**, des **restaurants**, des **cafés**, des fontaines et, bien sûr, des **banques**... Cette ville dans la ville attirerait chaque jour un demi-million de personnes... Mais cette estimation est, comme tous les chiffres en Turquie, invérifiable.

Mehmet II peut être considéré comme le véritable fondateur du Grand Bazar d'Istanbul. En 1461, le sultan installe un **petit entrepôt couvert** (Bedesten), qui ne cesse par la suite de s'étendre. Des caravansérails sont bâtis autour afin que les marchandises acheminées de partout puissent être directement négociées. Pour éviter les vols, on clôt le marché à la tombée du jour avec des grilles et des portes. En bois à l'origine, mais détruit à plusieurs reprises par des incendies, le Grand Bazar est réédifié en pierre après le tremblement de terre de 1894.

La **sectorisation** traditionnelle par type d'activités demeure encore visible, même si elle tend à s'atténuer

© Claude Vittiglio

◀ Le Grand Bazar, demeuré longtemps le plus grand marché couvert au monde, ferme ses 19 portes à 19 heures.

peu à peu. N'hésitez pas à vous aventurer au nord de l'allée centrale (Kalpakçılar Başı Cad.) et de son enfilade de bijouteries, en prenant Kolancılar ou Kuyumcular Sok. Vous découvrirez ainsi le noyau primitif du Grand Bazar ou ♥ **Iç Bedesten**, aussi appelé Cevahir Bedesteni, littéralement « l'entrepôt des bijoux » (XVIe s.). Là, dans une atmosphère un peu moite, se concentrent les **meilleurs antiquaires**. Remarquez les lourdes portes de cette « forteresse », que l'on cadenasse soigneusement chaque soir. ●

Avec un bon sens de l'orientation peut-être, en demandant sûrement, vous sortirez par la porte ouvrant vers Nuruosmaniye Camii. Vous retrouverez ainsi la Yeniçeriler Cad., où passe le tramway.

une pause ?

Si vous revenez à pied jusqu'à la mosquée Bleue *(itinéraire n° 2, p. 78)*, vous pourrez prendre un verre ou fumer un narghilé dans le complexe de l'**Atik Ali Paşa Camii** *(Çorlulu Ali Paşa Medresesi, entrée en face de l'Esbank, au S de la Nuruosmaniye)* et voir le **mausolée de Mahmut II** (1808-1839) *(ouv. t.l.j. 9 h 30-16 h 30 ; entrée payante)*. ●

4 | Le district de Fatih*

▲ Dans le quartier de Fatih, Istanbul prend un parfum anatolien plus marqué. On y rencontre encore des maisons traditionnelles dont l'encorbellement correspond au *sofa*, c'est-à-dire à la salle de séjour.

Du boulevard Atatürk aux murailles terrestres, dans le bastion d'un certain islamisme à la turque, rigoriste et tolérant à la fois, les mosquées se comptent par dizaines. Elles occupent d'anciennes églises byzantines souvent splendides ou se dressent fièrement, entourées de leur vaste complexe *(külliye)*, au sommet des collines. Les quartiers peu visités de Fener et de Balat, au bord de la Corne d'Or, abritent des églises orthodoxes ou des synagogues. Ce n'est plus Istanbul, c'est Cosmopolis !

Şehzade Camii**

Ouv. toute la journée ; entrée libre.

La mosquée des Princes est, au sens premier du terme, le **chef-d'œuvre** de **Sinan** dans la capitale ottomane. La construction débuta en 1543, sur ordre de Soliman le Magnifique. Le sultan souhaitait honorer la mémoire du **prince héritier Mehmet** (*shah zadé* signifie « prince » en persan), mort de la variole en cette même année. L'édifice fut achevé six ans plus tard. Il prit en 1563 le nom de « mosquée des Princes » quand le frère de Mehmet, Cihangir, fut enterré dans un mausolée *(türbe)* du sanctuaire. La Şehzade valut à Sinan son titre de maître architecte. Il était âgé de 54 ans, mais considérait cette œuvre comme son travail d'apprenti. Pourtant, dès ce coup d'essai, Sinan jetait les bases de l'architecture religieuse ottomane.

L'intérieur

La coupole centrale, les demi-coupoles et les pendentifs englobent un espace rendu plus lumineux encore depuis une récente restauration. Une fois n'est pas coutume, il est permis de s'approcher du *mihrâb* et du ***minbar**** remarquablement ciselé.

L'extérieur

Une **cascade de coupoles** dégringole dans une symétrie et un équilibre parfaits à partir du dôme central. L'élancement des **deux minarets** placés de part et d'autre de la salle de prière s'oppose au ruissellement des coupoles. De cette savante répartition des masses découle une véritable sensation d'apesanteur.

Avant de quitter l'enceinte de la mosquée, une petite visite du cimetière s'impose. Vous y verrez plusieurs mausolées dont le plus important, dessiné par Sinan, est celui du prince Mehmet.

En sortant, dirigez-vous vers le boulevard Atatürk. Il est possible de traverser sans danger ce véritable tronçon autoroutier en pleine ville en dépassant les arches de l'aqueduc de Valens (passage protégé à quelques dizaines de mètres en descendant le boulevard).

Départ : Şehzade Camii (station de tramway la plus proche : Laleli).

Durée : 1 journée.

Économisez vos forces, et rendez-vous directement en taxi à la Şehzade Camii. La suite de la promenade s'effectuera à pied.

Une pause ?

Dans l'enceinte de la mosquée s'est établi le délicieux restaurant *Şehzade Mehmet Sofrası* (carnet d'adresses p. 145). ●

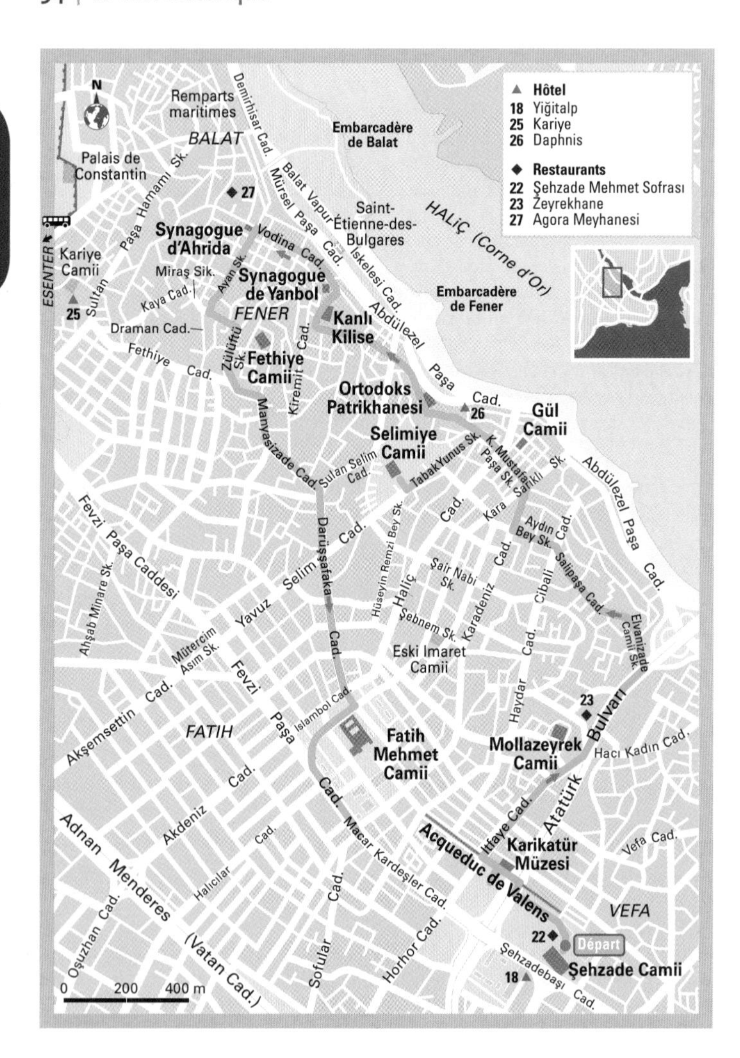
Hôtel
18 Yiğitalp
25 Kariye
26 Daphnis
Restaurants
22 Şehzade Mehmet Sofrası
23 Zeyrekhane
27 Agora Meyhanesi
Remparts maritimes
BALAT
Palais de Constantin
Kariye Camii
ESENTER
Embarcadère de Balat
Saint-Étienne-des-Bulgares
HALİÇ (Corne d'Or)
Embarcadère de Fener
Synagogue d'Ahrida
Synagogue de Yanbol
FENER
Kanlı Kilise
Fethiye Camii
Ortodoks Patrikhanesi
Gül Camii
Selimiye Camii
Eski Imaret Camii
FATIH
Fatih Mehmet Camii
Mollazeyrek Camii
Karikatür Müzesi
Acqueduc de Valens
VEFA
Départ
Şehzade Camii
Adnan Menderes (Vatan Cad.)
Fevzi Paşa Caddesi
Atatürk Bulvarı
Abdülezel Paşa Cad.
0 200 400 m

L'aqueduc de Valens*

Inséparable du paysage stambouliote, l'aqueduc de Valens est, avec Sainte-Sophie, le monument le plus important qui ait subsisté de la Nouvelle Rome.

Malgré son nom, la construction de l'aqueduc remonte au règne d'**Hadrien** (117-138). L'ouvrage fut agrandi sous **Constantin le Grand** (306-337), lorsque Byzance devint la capitale de l'Empire, et achevé sous **Valens** (364-378). À l'origine, sa longueur atteignait 1 km et sa hauteur 27 m. Les empereurs byzantins puis les sultans ottomans, conscients de son importance, le restaurèrent à plusieurs reprises. Soliman appela Sinan pour en effectuer la réfection complète. C'est peut-être à ce moment que fut réalisée la pente supérieure, entre la 47e et la 51e arche, qui obligeait à pomper l'eau. Certains historiens ont émis l'hypothèse selon laquelle Soliman aurait réclamé cette démolition à Sinan afin d'ouvrir la vue sur la Şehzade Camii. D'autres pensent qu'elle résulte tout simplement d'un séisme.

Gazanfer Ağa Medresesi, accolée à l'aqueduc, abrite le **musée de la Caricature et de l'Humour** *(Istanbul Karikatür ve Mizah Muzesi; ouv. t.l.j. sf dim. 10h-18h en été; entrée libre)*. Ses collections de caricatures politiques n'intéresseront que les seuls passionnés d'histoire turque. En dépit du vacarme ambiant, les autres apprécieront simplement le lieu, une ancienne ***medrese*** **du** XVIIe **s.** avec un petit jardin poussiéreux plein de charme.

En longeant l'aqueduc, vous débouchez ***Itfaiye Cad.****, une rue bien plus calme que le boulevard Atatürk.*

Sur le terre-plein central, des habitants disputent des **parties de tric-trac** endiablées (un lointain cousin du backgammon) lorsque les bouchers ne sont pas en train de débiter des moutons. N'hésitez pas à acheter du miel, il est dans ce quartier d'excellente qualité.

En prolongeant ***Itfaiye Cad.****, vous atteindrez la* ***Mollazeyrek Camii****, un ancien monument byzantin juché sur une éminence dominant le boulevard Atatürk. Elle est située parmi de vieilles bâtisses en bois branlantes.*

◄ Le district de Fatih

Mollazeyrek Camii*

Restauration en cours en 2007. L'intérieur ne se vis. pas en dehors des heures de prière.

Il est difficile d'imaginer l'importance qu'avait autrefois le **monastère byzantin du Pantocrator**. À son apogée, au XIIe s., la congrégation bénéficiait des subsides impériaux et rassemblait au moins 700 moines. La prise de la ville en 1204 par les croisés lui fut fatale. De l'ensemble monastique ne subsiste plus que le bâtiment en balcon sur le boulevard Atatürk – récemment reconstitué pour abriter un restaurant-salon de thé, le *Zeyrekhane (carnet d'adresses p. 145)* –, et le sanctuaire formé de **trois églises juxtaposées** : la première dédiée à la **Vierge** *(côté S)*, la deuxième au **Christ Pantocrator** *(côté N)*, la troisième à **saint Michel** *(au centre)*.

Descendez vers la Corne d'Or en empruntant le boulevard Atatürk. Avant d'atteindre le carrefour d'Unkapanı et le pont Atatürk, prenez ***Elvanizade Camii Sok****. à g. jusqu'à la* ***Salipaşa Cad.****, bordée d'un ensemble exceptionnel de* ***maisons en bois****. Cette rue passe tout près d'une ancienne église byzantine transformée en mosquée, la Gül Camii.*

Gül Camii*

Ouv. au moment du culte ; entrée libre.

Quand les Ottomans s'emparent de la ville en 1453, ils trouvèrent l'église **Sainte-Théodosie** (XIe s.) entièrement fleurie de roses et lui donnèrent son nom de « **mosquée des Roses** ». L'édifice vaut surtout pour son extérieur, remarquablement préservé. L'intérieur est décevant.

En continuant à longer la Corne d'Or, vous découvrez bientôt la silhouette de la mosquée de Selim Ier, qui s'élève sur la cinquième colline d'Istanbul.

Selimiye Camii*

Ouv. au moment du culte ; entrée libre.

La mosquée de Selim (Sultan Yavuz Selim Camii), de taille relativement modeste, est l'œuvre d'**Adjem Ali**. Sa construction s'est achevée en 1522, au début du règne de

© Bertrand Rieger/hemis.fr

◄ Deux religieux du quartier de Fatih, dont l'un tient un chapelet aux 99 grains, correspondant aux 99 noms d'Allah dans le Coran.

Soliman, qui voulait honorer son père, Selim Ier. Avec celle de Beyazıt II, la Selimiye est l'exemple le plus significatif de l'architecture présinanienne d'Istanbul. Elle adopte le **plan en T** des premières mosquées ottomanes : une salle de prière cubique sur laquelle se greffent deux *medrese* latérales. À l'intérieur, vous remarquerez un ***minbar*** et un ***mihrâb*** en bois ouvragé. Le cimetière abrite plusieurs ***mausolées***, dont celui du fondateur, une petite merveille tapissée de **faïences d'Iznik** du XVIe s. De la terrasse s'offre une belle vue sur la Corne d'Or.

En redescendant en direction de cette dernière, vous entrez dans le quartier de Fener.

Le ♥ quartier de Fener

Fener est resté l'un des quartiers les plus authentiques de la ville. Voitures rares, linge séchant aux fenêtres et maisons de pierre du XVIIIe s., Fener fait penser à un village égaré dans la grande métropole. Aujourd'hui, une bonne partie du quartier fait l'objet d'une réhabilitation d'envergure financée par l'U.E., en particulier du côté du Patriarcat orthodoxe (**Orthodoks Patrikhanesi**) et de l'église **Saint-Georges** près des rives de la Corne d'Or.

Jusqu'au début des années 1960, l'ancien domaine des Phanariotes abritait une **communauté grecque orthodoxe** d'une centaine de milliers de personnes. Dès la première crise chypriote (1964), la déportation massive des Grecs a réduit la colonie à une poignée d'individus que sont venues remplacer des familles souvent originaires des rivages de la mer Noire. Quelques traces de la longue présence grecque subsistent: en dehors du Patriarcat orthodoxe, sous l'autorité du patriarche de Constantinople, l'église **Sainte-Marie-des-Mongols** (Theotokos Mougliotissa ou **Kanlı Kilise**) reconstruite en 1720, et la « **Grande École** », lycée géré par le Patriarcat dont la masse rouge brique (1881) domine les hauteurs. De beaux exemples de **maisons de pierre** construites par l'aristocratie grecque au XVIIIe s. bordent encore la **Kiremit Cad.**, qui grimpe la colline.

Le quartier de Balat

Balat, en amont de la Corne d'Or, fait suite au quartier de Fener. Il présente la même ambiance populaire, les **maisons en bois** se substituant aux demeures en pierre. C'est à Balat que les **juifs expulsés d'Espagne** par l'Inquisition s'installèrent après 1492. Accueillis à bras ouverts par les sultans, ils purent exercer leur culte en toute liberté et occupèrent des postes éminents dans la diplomatie et le commerce. Depuis les années 1940, l'essentiel de la communauté séfarade est parti pour Israël ou pour des quartiers plus résidentiels d'Istanbul, comme Şişhane et Şişli ou Nişantaşı.

urbanisme

Les fontaines d'Istanbul

L'eau est précieuse à Istanbul, car nul fleuve important n'arrose la ville. Les Byzantins résolurent le problème en construisant des aqueducs et en entretenant les citernes, mais les Ottomans se désintéressèrent de la question jusqu'au règne de Soliman. Face à ce grave problème, les sultans firent construire une multitude de fontaines. Ils montraient ainsi leur attachement à un quartier, encourageaient le peuplement, la vie sociale ou tout simplement faisaient un acte pieux. Istanbul compte encore un grand nombre de fontaines Elles sont tantôt monumentales *(şebil)*, comme celles d'Ahmet III *(p. 53)* ou de Tophane *(p. 113)*, tantôt toutes simples *(çesme)* et adossées à des murs. ●

◄ **Un bel exemple d'urbanisme stambouliote et d'art du remploi... avec les moyens du bord !**

Les synagogues de Balat

Le culte est encore célébré en ladino, traduction littérale de l'hébreu en espagnol qu'utilisaient les expulsés de 1492, à la **synagogue d'Ahrida**, la plus ancienne (fondée en 1427), et à la proche **synagogue de Yanbol** (XVIIIe s.). Pour visiter l'une d'elles, il faudra avoir obtenu au préalable *(24 h à l'avance)* l'autorisation du Grand Rabbinat de Turquie *(info@musevicemaati.com)*.

De Balat, vous pouvez rejoindre à pied les ***murailles terrestres*** *(à l'O) et visiter la* ***Kariye Camii*** *(Saint-Sauveur-in-Chora,* *p. 106**). Réservez cette option pour un autre jour et amorcez le chemin du retour en rejoignant la Fethiye Camii.*

En prenant Ayan Sok., qui coupe la Vodina Cad., principale artère du « village » de Balat, vous rejoindrez la Fethiye Cad., près de laquelle se cache la Fethiye Camii. N'hésitez pas à demander votre chemin aux passants.

Fethiye Camii**

Ouv. (en principe) t.l.j. sf mer. 9h30-16h (17h en été). Entrée payante.

Rebaptisée « mosquée de la Victoire », l'ancienne église byzantine dédiée à la Radieuse Mère de Dieu (Theotokos Pammakaristos) est un petit bijou qui se mérite. Après être parvenu à la dénicher, il faut avoir la chance de la trouver ouverte, ce qui n'est malheureusement pas toujours le cas.

L'ancien monastère se compose d'une église (fin XIIIe s.) et d'un parecclésion. Ce dernier, directement accessible en traversant le jardin, conserve encore des **mosaïques** (XIVe s.) contemporaines de sa construction. On y découvre un remarquable **Christ Pantocrator**** entouré de prophètes (coupole), une **Déisis**** proprement fascinante (abside), ainsi que de nombreuses représentations d'évêques, de moines et de Pères de l'Église (collatéraux).

Par les rues commerçantes qui passent près de la Fethiye Camii (Manyasizade Cad., domaine d'objets pieux, puis Darüşşafaka Cad.), vous vous dirigerez vers la mosquée du Conquérant (Fatih Mehmet Camii), sise sur la quatrième colline d'Istanbul.

|| Fatih Mehmet Camii

Ouv. toute la journée ; entrée libre.

La mosquée du Conquérant frappe d'abord par sa taille gigantesque. L'ensemble du sanctuaire, comprenant entre autres des bains, des écoles coraniques, une bibliothèque et un hôpital, couvre la superficie record de **10 ha**. L'autre trait frappant est le caractère populaire et profondément pieux de l'endroit, le quartier étant un bastion des néo-islamistes : il devient instantanément désert quand l'imam lance son appel à la prière.

L'édifice, bâti au lendemain de la prise de la ville par les Ottomans, a été entièrement détruit par un tremblement de terre en 1766. On sait peu de choses de la mosquée originale de Mehmet II. Une légende rapporte que le sultan entra dans une rage folle quand il s'aperçut que la coupole était moins élevée que celle de Sainte-Sophie. Il trancha alors la main de son architecte, **Christodoulos** (surnommé Atik Sinan ou Sinan le Vieux, pour ne pas le confondre avec son illustre homonyme), avant de le faire étrangler.

L'actuelle mosquée date de la seconde moitié du XVIIIe s. Hormis la **cour** ornée d'une jolie fontaine et bordée de colonnes antiques, elle n'a rien d'inoubliable. L'intérêt est ailleurs, dans l'**ambiance** populaire du complexe envahi par les marchands et dans le quartier avoisinant aux allures de souk *(à voir absolument le mer. matin)*. •

Le long de la bruyante et animée Fevzipaşa Cad., vous trouverez facilement un taxi qui vous reconduira en quelques min. vers le centre ancien.

5 | Les murailles terrestres★★

© Claude Vittiglio

▲ Les murailles terrestres ou l'exemple type de l'architecture « évolutive ». Tout simplement parce qu'elles ont dû s'adapter aux progrès de l'art de la guerre pendant un millénaire.

Les kilomètres de remparts élevés pour se protéger des envahisseurs venus de Thrace, ponctués de forteresses et de tours, sont les vestiges les plus évocateurs de la puissance de Constantinople. Cette promenade vous fera revivre plus de mille ans d'histoire, depuis les premières alertes contre les Barbares au ve s. jusqu'à la chute finale, en 1453, devant l'invincible armée de Mehmet II. Mais là n'est pas le seul intérêt de cette balade, car des bijoux architecturaux se cachent aux confins de la ville historique : les ruines romantiques du monastère déchu de Saint-Jean-de-Stoudion, la mosquée de Mihrimah (peut-être le chef-d'œuvre le plus achevé de l'art sinanien), enfin et surtout la merveille des merveilles : la Kariye Camii, avec son incomparable ensemble de fresques et de mosaïques byzantines.

Yedikule*

Ouv. t.l.j. sf lun. 9 h 30-17 h. Entrée payante.

Le château des Sept-Tours est plus une **enceinte fortifiée** qu'un château comme on l'imagine en Europe, le centre de la « place d'armes » n'étant qu'un vaste terrain vide envahi d'herbes folles. La forteresse construite sous le règne de Théodose II doit son nom à l'**empereur Jean VI Cantacuzène**, qui porta à sept le nombre de ses tours au XIVe s. Sous les Ottomans, Yedikule servit de trésor, puis de **prison**. Osman II y fut reclus et exécuté en 1622 à l'issue d'une révolte des janissaires *(p. 63)*. De nombreux Européens (ambassadeurs, capitaines de navire, commerçants) croupirent dans ses cachots.

De la **courtine** s'offrent une belle vue d'ensemble de la forteresse et un magnifique **panorama** sur la muraille de Théodose. Du côté de la mer de Marmara, vous distinguez la **tour de Marbre**, ainsi appelée en raison de son soubassement en marbre. Elle servit aussi de prison à l'époque byzantine, puis d'hôtel de la Monnaie sous les Ottomans.

En sortant, prenez Yedikule Cad.

Imrahor Camii*

Ouv. (en principe) t.l.j. sf mer. 9 h 30-17 h (16 h en hiver). Entrée payante.

Saint-Jean-de-Stoudion, fondée en 454, est la plus ancienne église byzantine de la ville. Elle appartenait à l'origine à un monastère dont les moines acémètes (sans sommeil) se relayaient nuit et jour afin d'assurer la permanence de la prière. Ils passaient le reste de leur temps à copier et à illustrer des manuscrits, assurant ainsi richesse et renommée à leur monastère.

L'église, transformée en mosquée au XVe s., fut gravement endommagée par un séisme au XIXe s. Elle présente le **plan basilical** en faveur à l'époque paléochrétienne, avec un atrium précédant les trois nefs et l'abside. Le sol conserve des restes de **mosaïques** de pavement datant des embellissements effectués au XIIIe s.

Prenez un taxi et remontez vers l'Edirnekapı, proche de la mosquée de Mihrimah.

Départ : Yedikule.

Durée : 1 journée.

La Mihrimah Camii et le palais de Constantin (Tekfur Sarayı) étaient fermés aux visiteurs en 2007 et les conditions d'ouverture de l'Imrahor Camii, aléatoires (rens. à l'office du tourisme).

La visite des tours du Yedikule n'est pas conseillée, sauf si vous avez pensé à emporter une lampe de poche.

Les très bons marcheurs peuvent longer les murailles à pied, mais la promenade (plus de 7 km) est rude en raison du relief, de la chaleur et de la poussière. Il faudra s'accommoder aussi du vacarme de la circulation... Mieux vaut longer la muraille en taxi, en effectuant des sauts de puce.

histoire.
Le dernier empereur

Sachant l'empire perdu s'il ne doit compter que sur ses propres forces, l'empereur byzantin Constantin XI (1449-1453) place tous ses espoirs dans l'aide hypothétique de l'Occident. Il est prêt à tous les sacrifices, notamment à l'union des deux Églises. Ainsi, le 12 décembre 1452, avant la chute de la ville, un légat du pape célèbre une messe romaine dans Sainte-Sophie. L'événement déclenche une émeute : « *Plutôt voir le turban turc au milieu de la capitale que la mitre romaine* », dit-on alors. C'est ce qui se produit cinq mois plus tard, lorsque Mehmet II entre dans la ville. L'Empire byzantin, né avec la fondation de la ville par Constantin Ier, s'éteint avec le dernier Constantin. ●

▶ Les murailles terrestres

Les murailles terrestres*

Protégées par une **centaine de tours**, elles s'étendent sur une bande presque continue **de la mer de Marmara à la Corne d'Or**. La ligne de remparts que vous voyez aujourd'hui date de l'époque de **Théodose II** (début Ve s.). Elle a empêché toutes les invasions, sauf celles des croisés en 1204 et des Ottomans en 1453.

On imagine l'ampleur de la tâche que constitua, à partir de 413, l'érection de ces **énormes fortifications**. Pour les élever, plusieurs milliers de maçons furent nécessaires, aidés par toute la population de la ville. La muraille fut sans cesse perfectionnée et réparée. En 439, Théodose compléta le dispositif en poursuivant la ligne de fortifications le long de la mer de Marmara, créant les **murailles dites « maritimes »**. En 447, on creusa un **fossé** et on **doubla les murs** juste avant l'arrivée des Huns. Le rempart résista ainsi aux vagues barbares successives, notamment slaves. Les Ottomans, qui eurent toutes les peines du monde à franchir ce barrage, continuèrent à l'entretenir. Il ne commença à tomber en ruines qu'au début du XXe s.

Classée **patrimoine de l'Humanité par l'Unesco**, la muraille de Théodose a maintenant retrouvé tout son lustre, même si la restauration peut paraître souvent un peu abusive. L'ambiance reste très **orientale** à ses abords : arrêts de bus où s'agglutinent les foules, chevaux paissant dans des enclos, potagers colonisant certains talus…

La porte de **Topkapı** (ne pas confondre avec le palais), à peu près à équidistance entre la mer de Marmara et la Corne d'Or, figure parmi les éléments défensifs les mieux conservés. Elle doit son nom de « porte du Canon » à une machine de guerre, inventée par un Hongrois, capable de lancer des boulets de 600 kg à 1 400 m de distance… En 1453, les janissaires trouvèrent près de cette porte la dépouille de Constantin Dragasès, le dernier empereur byzantin, dont la tête fut exposée près de Sainte-Sophie en signe de victoire.

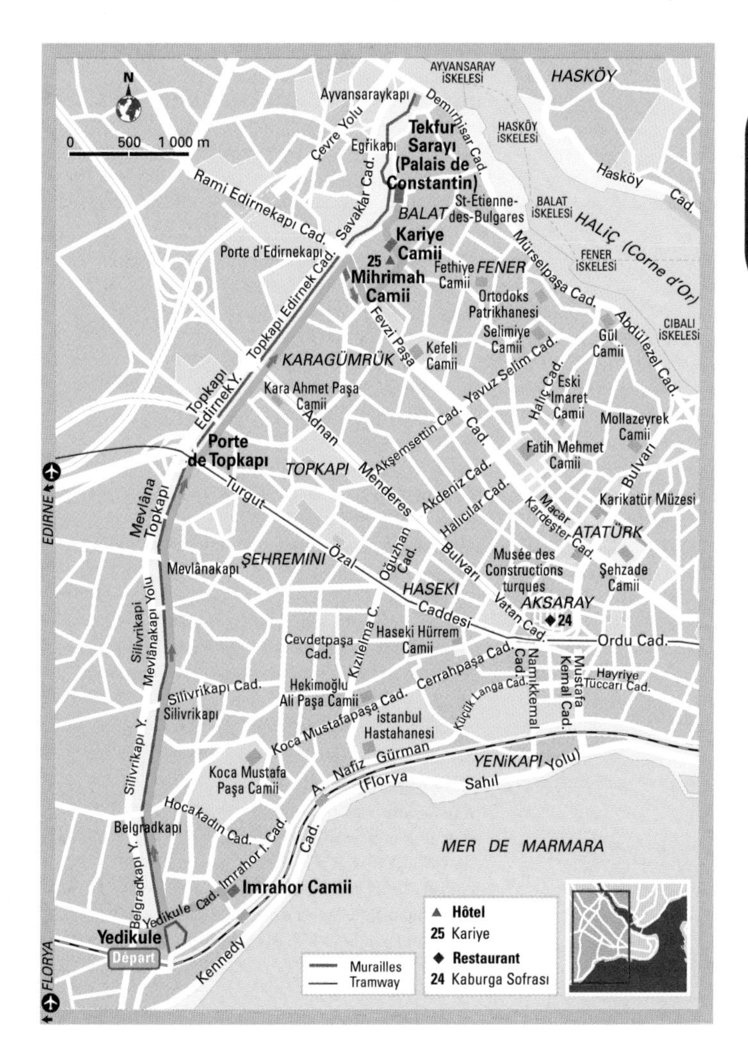
N
0 500 1 000 m
AYVANSARAY İSKELESİ
HASKÖY
Ayvansaraykapı
Demirhisar Cad.
Tekfur Sarayı (Palais de Constantin)
HASKÖY İSKELESİ
Çevre Yolu
Eğrikapı
Savaklar Cad.
Hasköy Cad.
Rami Edirnekapı Cad.
St-Étienne-des-Bulgares
BALAT
BALAT İSKELESİ
HALİÇ (Corne d'Or)
Kariye Camii
Porte d'Edirnekapı
25
Mihrimah Camii
Fethiye Camii
FENER
FENER İSKELESİ
Mürselpaşa Cad.
Ortodoks Patrikhanesi
Abdülezel Cad.
CIBALI İSKELESİ
Fevzi Paşa
Topkapı Edirnek Cad.
Selimiye Camii
Gül Camii
Kefeli Camii
KARAGÜMRÜK
Yavuz Selim Cad.
Haliç Cad.
Eski İmaret Camii
Topkapı Edirnek Y.
Kara Ahmet Paşa Camii
Adnan
Akşemsettin Cad.
Cad.
Mollazeyrek Camii
Fatih Mehmet Camii
Porte de Topkapı
TOPKAPI
Menderes
Akdeniz Cad.
Bulvarı
EDIRNE
Turgut
Halıcılar Cad.
Macar Kardeşler Cad.
Karikatür Müzesi
ATATÜRK
Mevlâna Topkapı
Oğuzhan Cad.
Bulvarı
Musée des Constructions turques
Şehzade Camii
Mevlânakapı
ŞEHREMİNİ
Özal
HASEKİ
AKSARAY
Vatan Cad.
Caddesi
24
Silivrikapı Mevlânakapı Yolu
Kızılelma C.
Haseki Hürrem Camii
Cevdetpaşa Cad.
Ordu Cad.
Namikkemal Cad.
Mustafa Kemal Cad.
Hayriye Tüccarı Cad.
Cerrahpaşa Cad.
Küçük Langa Cad.
Silivrikapı Cad.
Hekimoğlu Ali Paşa Camii
Silivrikapı
Koca Mustafapaşa Cad.
İstanbul Hastahanesi
Namıkkemal
Silivrikapı Y.
Koca Mustafa Paşa Camii
A. Nafiz Gürman
YENİKAPI
(Florya Sahıl Yolu)
Hocakadın Cad.
Belgradkapı
İmrahor İ. Cad.
Cad.
MER DE MARMARA
Belgradkapı Y.
İmrahor Camii
Yedikule Cad.
Yedikule
Départ
FLORYA
Kennedy
Murailles
Tramway
▲ Hôtel
25 Kariye
◆ Restaurant
24 Kaburga Sofrası

♥ Mihrimah Camii★★

F. pour restauration jusqu'à une date indéterminée.

Deux mosquées furent construites par Sinan pour Mihrimah, la fille chérie de Soliman : l'une à Üsküdar *(p. 134)* et l'autre, de loin la plus belle, ici. La famille (son mari Rüstem Paşa, son père Soliman et sa mère Roxelane) aurait participé à la construction de cette mosquée **commémorative** : elle date de 1560-1565, alors que la princesse est morte en 1558 et enterrée avec son père dans le cimetière de la Süleymaniye *(p. 88)*.

Sinan réalise ici un **édifice aérien d'un dépouillement exemplaire**. Vue de l'extérieur, la mosquée ressemble à un cube surmonté d'une coupole qu'aucun contrebutement visible ne vient consolider. Le plus extraordinaire est l'**intérieur**, haut de 38 m et d'une **clarté étonnante**. Grâce aux quatre tympans pratiquement translucides, percés chacun de 15 fenêtres et de quatre œils-de-bœuf, la lumière pénètre dans un espace quasi transparent. Cette conception évoque un écrin de verre. On pense à la Sainte-Chapelle à Paris ou aux façades-rideaux des architectures contemporaines…

Traversez l'esplanade en face de la mosquée, puis la Fevzi Paşa Cad. Continuez tout droit jusqu'à la 2e ou à la 3e intersection, où vous prendrez à dr. ***Maisons de bois*** *aux couleurs pastel, marchands de tapis et de souvenirs annoncent la Kariye Camii.*

Kariye Camii★★★

Ouv. t.l.j. sf mer. 9 h 30-17 h (16 h en hiver). Entrée payante.

Cette église byzantine abrite le plus bel **ensemble de mosaïques et de fresques** de l'ancienne capitale byzantine. Si l'on s'en tient au vocable de l'église, Saint-Sauveur-in-Chora (*chora* signifie « campagne » ou « village » en grec, équivalent de notre « hors les murs »), la fondation du sanctuaire serait antérieure au Ve s., date de l'érection de la muraille terrestre de Théodose II. L'édifice a été remanié par Justinien, puis reconstruit à la demande de **Marie Doukas**, la belle-mère d'Alexis Comnène (1081-1118). Vers 1310-1320, **Théodore Métochite**, Premier ministre d'Andronic II (1282-1328), entreprend la restauration du monastère. Il ajoute l'exonarthex et le parecclésion, puis fait recouvrir l'intérieur de **fresques** et de **mosaïques**. **Transformée en mosquée** après la prise de la ville en 1453, Saint-Sauveur traverse l'âge ottoman sans subir trop de dommages (les sultans du XVIIe s. refusent tout badigeonnage des peintures et restaurent même sa coupole).

Exonarthex et narthex**

Ils présentent deux cycles distincts, attribués au même artiste. L'un est consacré à la **vie du Christ**, l'autre à la **vie de la Vierge**. Commencez la visite par le nord de l'exonarthex, puis allez jusqu'à la coupole sud du narthex *(Vie du Christ)*. Suivez ensuite la *Vie de la Vierge*, qui commence sous la coupole nord du narthex et s'achève peu avant la coupole sud. La ***Présentation de Marie au Temple*** est admirable. Par ses effets de raccourci, cette œuvre rappelle l'art de Giotto, peintre contemporain de ces mosaïques.

La nef

Elle a perdu l'essentiel de sa décoration, mais on y reconnaît une Dormition et une Vierge à l'Enfant.

Le parecclésion***

Il est composé de deux travées et fermé par une abside. Son programme iconographique constitue l'aboutissement logique des deux précédents cycles. La **coupole*** coiffant la première travée porte une Vierge à l'Enfant, tandis que la **seconde travée**** est consacrée au **Jugement dernier**. Dans l'**abside*****, l'***Anastasis*** ou ***Résurrection***, avec ses magnifiques coloris et sa perspective illusionniste, certes maladroite, est l'une des plus belles œuvres de l'art byzantin. Satan gît à terre près des débris des portes de l'Enfer ; Adam et Ève sortent de leur tombeau, tirés par le **Christ vainqueur de la mort**. L'attitude dynamique de Jésus contraste avec l'assemblée dans laquelle on reconnaît **Jean-Baptiste** *(à sa dr.)* et **Abel** *(à sa g.)*. Au niveau inférieur se trouvent **six Pères**

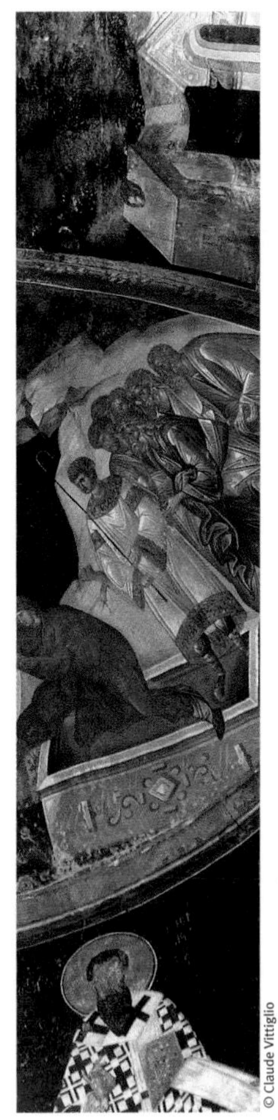

▲ Image de la Résurrection dans le parecclésion de Saint-Sauveur-in-Chora.

art
La quête d'élégance

Les peintures et les mosaïques adoptent le ton en vigueur au XIVe s. Ce chant du cygne de l'art byzantin, soucieux d'élégance, privilégie l'**aspect élancé des personnages** et porte un intérêt particulier aux **paysages** et aux **architectures**, à l'instar de la peinture italienne de la même époque. La présence de draperies qui suivent les mouvements du corps et la variété des expressions des visages donnent une très séduisante vitalité aux fresques et aux mosaïques de la Kariye. ●

de l'Église et une très humaine **Vierge Eléoussa** (Miséricordieuse).

Après une pause à la terrasse du café en face de l'église, montez par la rue en face jusqu'aux murailles, dont vous atteindrez la face interne. En les suivant à dr., vous atteindrez très vite un imposant bâtiment fortifié byzantin : le palais de Constantin Porphyrogénète.

Tekfur Sarayı*

F. pour restauration jusqu'à une date indéterminée.

Les ruines du palais dit de **Constantin Porphyrogénète** sont le seul témoignage de l'architecture civile au temps de la dynastie Paléologue à Istanbul (milieu du XIVe s). La partie visible de la cour, avec sa **façade à incrustations polychromes**, est le plus bel élément de l'édifice.

Au-delà du palais de Constantin, vous suivez la **muraille de « Manuel Comnène »** (XIIe s.). Jusqu'à Ayvansaraykapı, vous ne rencontrerez qu'une ouverture, Eğrikapı *(Porte oblique)*. Les **tours*** que l'on voit en arrivant à la Corne d'Or appartenaient au **palais des Blachernes** (XIe-XIIe s.). La résidence familiale des Comnène se substitua aux constructions délabrées des alentours de l'hippodrome sous Manuel Ier (1143-1180), qui mena ici une vie de cour princière. Le siège du pouvoir byzantin s'installait ainsi en lisière de la ville, dans une forteresse protégeant un passage que les envahisseurs tentèrent de forcer, en vain. ●

Du palais des Blachernes jusqu'à l'actuelle pointe du Sérail, 10 km de remparts protégeaient autrefois la rive sud de la Corne d'Or. Quelques fragments subsistent çà et là. Ce long trajet se fera donc avantageusement en taxi.

Istanbul européenne

Sur la rive nord de la Corne d'Or,

Istanbul s'assagit, s'organise, en un mot s'occidentalise. L'influence de l'islam paraît loin, presque évacuée et la ville européenne se dévoile lentement, au fil des déambulations. Préparez-vous à un voyage dans l'espace et dans le temps, qui vous conduira de l'Orient à l'Europe et de la Belle Époque à un aujourd'hui on ne peut plus contemporain. Bienvenue dans l'Istanbul du consumérisme et de la nuit.

▲ Le pont Atatürk, jeté sur la Corne d'Or, est emprunté chaque jour par des milliers de véhicules. Il débouche sur l'Atatürk Bulvarı, axe rapide tracé en pleine ville qui file jusqu'à la mer de Marmara.

6 | Le district de Beyoğlu★★

© Ingolf Pompe/hemis.fr

▲ Le Çiçek Pasajı, à voir surtout en soirée, quand il est noir d'une foule attablée aux restaurants. Inutile donc d'y espérer tenir une conversation intime, d'autant que des musiciens sont aussi de la partie !

Aux étals de marché, aux quincailliers colonisant les ruelles et les trottoirs au bas de la colline de Beyoğlu, succèdent des commerces plus policés et des enseignes plus conventionnelles. L'occidentalisation éclate sur les hauteurs de Taksim et Nişantaşı, le quartier chic du shopping haut de gamme, et le long de l'Istiklal Cad., l'avenue de l'ancienne Péra où les diplomates, les banquiers et les riches commerçants étrangers du XIXe s. résidaient dans de cossues demeures ou à l'hôtel *Pera Palas* *(p. 116)*, construit en 1892 à l'intention des voyageurs de l'Orient-Express.

Sirkeci-Eminönü*

Les alentours du pont de Galata et de la gare de Sirkeci constituent l'endroit le plus animé de la ville, tant en surface que dans les passages souterrains, et un nœud de communication essentiel. Se regroupent ici la **gare néomauresque** de Sirkeci (1889), construite pour le prestigieux Orient-Express, la **ligne de tramway** et le **débarcadère d'Eminönü**. Les bateaux reliant la rive asiatique (Üsküdar et Kadıköy) et les villes résidentielles des bords du Bosphore accostent là et de l'autre côté du **pont de Galata**, dont la partie centrale s'ouvre la nuit pour le passage des bateaux.

Le moderne **Yeni Galata Köprüsü** (nouveau pont de Galata) remplace l'ancien pont de bois, victime d'un incendie. Son niveau inférieur s'agrémente de **restaurants à poissons** *(résistez à la retape des serveurs !)* et de **cafés** où les jeunes viennent fumer un narghilé en regardant des clips diffusés par écrans plasma.

Traversez le pont pour rejoindre Karaköy.

Karaköy

Du côté du Bosphore, ce quartier présente une animation mi-touristique, mi-portuaire assez agréable. Des cafés et des *fast-foods* étalent de très tentantes **terrasses**. Vous pourrez y faire une pause pour profiter du spectacle des foules allant et venant de la rive asiatique (débarcadère de Karaköy) ou pour regarder le trafic des *vapür* sillonnant le Bosphore.

À l'ouest du pont, côté Corne d'Or, Karaköy présente une ambiance très différente, industrieuse et follement commerçante. Ici, les marchés en plein air de poissons cohabitent avec les vendeurs d'outillage et les marchands de *simit*, ces pains ronds recouverts de graines de sésame *(gardez la découverte de cet univers étonnant pour la fin de cette balade)*.

Limitez-vous à la visite du **Musée juif** *(ouv. t.l.j. sf sam. 10 h-16 h, jusqu'à 14 h le ven. et le dim. ; entrée payante)*, situé au fond d'une impasse en haut de la place, au-delà

Départ : Sirkeci ou Eminönü ; stations de tramway Sirkeci ou Eminönü.

Durée : 1 journée. Si vous souhaitez gagner du temps, traversez la Corne d'Or en tramway par le **pont de Galata** et descendez à la station **Tophane.** Après la visite de ce quartier, reprenez le tramway jusqu'au terminus de **Kabataş** (ou 15 min. à pied), d'où un funiculaire vous amènera dans les hauteurs de la place de **Taksim.**

De boutiques en galeries et en cafés, vous flânerez le long de l'**Istiklal Cad.** jusqu'à la station supérieure du **Tünel**, d'où un vieux funiculaire peut vous reconduire au bas de la colline, à **Karaköy.** Mieux vaux descendre la colline de Beyoğlu à pied : l'endroit est riche de nombreuses curiosités, à commencer par la **tour de Galata.**

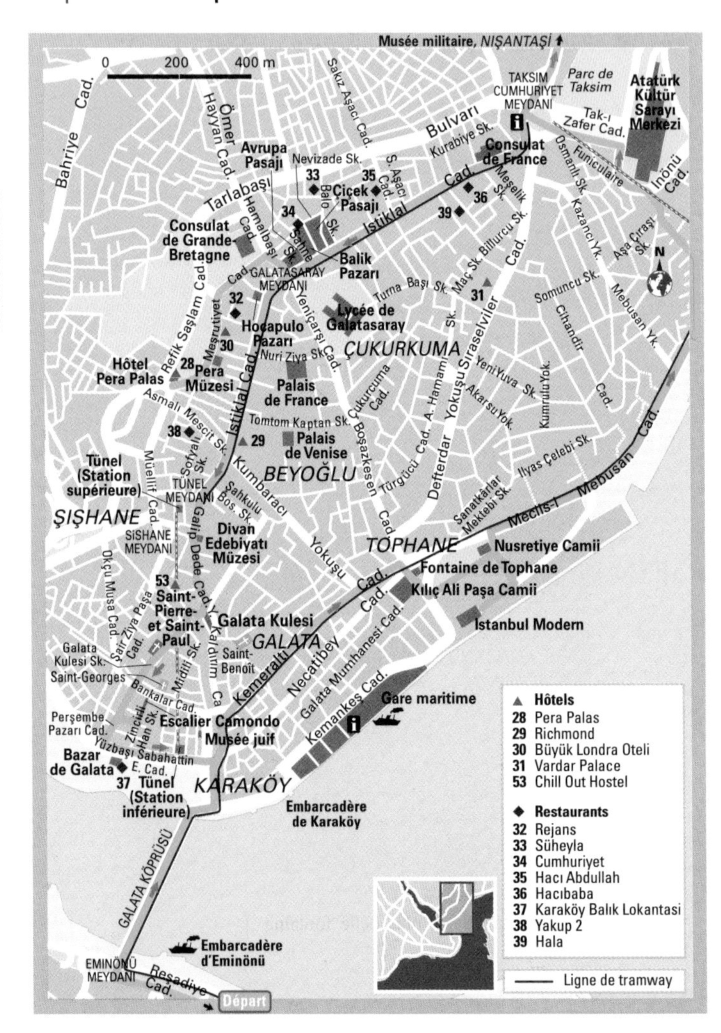
Musée militaire, NIŞANTAŞI
0 200 400 m
TAKSIM CUMHURIYET MEYDANI
Parc de Taksim
Atatürk Kültür Sarayı Merkezi
Bulvarı
Tak-ı Zafer Cad.
Consulat de France
Funiculaire
İnönü Cad.
Avrupa Pasajı
Nevizade Sk.
Çiçek Pasajı
Tarlabaşı
Consulat de Grande-Bretagne
Balik Pazarı
GALATASARAY MEYDANI
Lycée de Galatasaray
Hocapulo Pazarı
ÇUKURKUMA
Hôtel Pera Palas
Pera Müzesi
Palais de France
Tomtom Kaptan Sk.
Palais de Venise
BEYOĞLU
Tünel (Station supérieure)
TÜNEL MEYDANI
ŞIŞHANE
ŞIŞHANE MEYDANI
Divan Edebiyatı Müzesi
TOPHANE
Nusretiye Camii
Fontaine de Tophane
Kılıç Ali Paşa Camii
Istanbul Modern
Saint-Pierre-et Saint-Paul
Galata Kulesi
GALATA
Saint-Benoît
Saint-Georges
Gare maritime
Escalier Camondo
Musée juif
Bazar de Galata
Tünel (Station inférieure)
KARAKÖY
Embarcadère de Karaköy
GALATA KÖPRÜSÜ
Embarcadère d'Eminönü
EMINÖNÜ MEYDANI
Départ
Hôtels
28 Pera Palas
29 Richmond
30 Büyük Londra Oteli
31 Vardar Palace
53 Chill Out Hostel
Restaurants
32 Rejans
33 Süheyla
34 Cumhuriyet
35 Hacı Abdullah
36 Hacıbaba
37 Karaköy Balık Lokantasi
38 Yakup 2
39 Hala
Ligne de tramway

de l'entrée du Tünel *(p. 117)*. Installé dans l'ancienne synagogue Zulfaris (XVIIe s.), ce musée présente l'histoire des juifs de Turquie depuis le XIVe s. à l'aide de documents historiques et de photographies anciennes.

Une station de tramway sépare Karaköy du quartier de Tophane. Si vous préférez effectuer ce trajet à pied, évitez la bruyante (et très polluée !) ***Kemeraltı Cad****. Prenez plutôt l'une des rues plus calmes qui longent l'arrière de la gare maritime (****Kemankeş Cad.*** *ou* ***Galata Mumhanesi Cad.****).*

Tophane

Sur l'esplanade, trois monuments offrent une sorte de synthèse de l'architecture ottomane, depuis les temps héroïques (XVIe s.) jusqu'au XIXe s. Le quartier doit son nom à une fonderie de canons *(tophane)* créée dès 1453 par Mehmet II (1451-1481).

Kılıç Ali Paşa Camii

Ouv. aux heures de culte ; entrée libre.

Cette mosquée fut construite en 1580 pour le « roi de la Mer », **Kılıç Ali Paşa**, un simple rameur esclave que ses qualités de marin propulsèrent au sommet de la hiérarchie militaire. Le sultan de l'époque, **Murat III** (1574-1595), n'aimant guère ce personnage envahissant, le défia en lui lançant : « *Puisque tu es roi de la Mer, construis donc ta mosquée sur la mer !* ». Obéissant, Kılıç Ali choisit une **anse du Bosphore**, la fit combler et s'offrit les bons offices de l'architecte du sultan, **Sinan** *(p. 179)*, qui avait alors… 90 ans !

La mosquée s'élevait jadis au bord du Bosphore, mais d'importants travaux de terrassement l'ont éloignée des rives de 200 m. L'intérieur abrite un remarquable **mur de *qibla*★** entièrement tapissé de faïences.

La fontaine de Tophane★

De style rococo (1732), c'est la plus belle fontaine monumentale de la ville avec celle d'Ahmet III, près du sérail de Topkapı *(p. 53)*.

Prenez la ruelle encombrée de terrasses de cafés où des jeunes viennent jouer au tric-trac et fumer un narghilé.

anecdote

L'homme volant

L'histoire remonte au XVIIe s. Elle ressemble à la légende d'Icare sauf qu'elle se passe à Istanbul et qu'elle finit bien. Féru d'astronomie et de toutes sortes de sciences, **Hezarfen Ahmet Çelebi** rêvait de s'envoler dans les airs. Il se fabriqua une paire d'ailes et fit d'abord quelques essais sans danger… Çelebi décida alors de se lancer dans le vide. Il choisit pour cela le point le plus élevé de la ville : la **tour de Galata.** L'entreprise n'était pas aussi folle qu'il y paraissait : l'homme volant se posa sans encombre sur la **rive asiatique**, de l'autre côté du Bosphore ! Le sultan Murat IV le couvrit d'or pour cet exploit, puis, se méfiant de ce sujet quelque peu original, l'envoya en exil à Alger… ●

◄ L'Istanbul européenne

© Sylvain Grandadam

▲ Prendre un taxi stambouliote, toujours de couleur jaune, est une expérience inoubliable (au sens premier du terme), surtout quand les suspensions ne sont plus qu'un lointain souvenir.

Nusretiye Camii

Ouv. aux heures de culte ; entrée libre.

Récemment restauré, l'imposant édifice baroque a été construit en 1823 par Kirkor Baylan, fondateur de la dynastie d'architectes à l'origine de la plupart des palais du Bosphore.

Suivez la Meclis-i Mebusan Cad. jusqu'à l'indication « Istanbul Modern » et traversez le parking pour atteindre l'entrée du musée.

Istanbul Modern*

Meclis-i Mebusan Cad., Antrepo 4. Ouv. t.l.j. sf lun. 10 h-18 h, jusqu'à 20 h le jeu. Entrée payante (libre le jeu.). www.istanbulmodern.org.

Inauguré en 2004 dans un entrepôt de Tophane, le « Centre Beaubourg » d'Istanbul présente un panorama de la création turque au XXe s. dans les domaines de la peinture, de la sculpture et de la photographie. Les collections sont amenées à s'enrichir et des expositions temporaires sont régulièrement organisées. De la cafétéria, la vue sur Topkapı est splendide.

*Revenu près de la Nusretiye Camii, reprenez le tramway jusqu'au terminus de **Kabataş**. De là, un funiculaire souterrain (en service t.l.j. 6h15-minuit) grimpe à la place Taksim.*

Taksim Meydanı

Agitée par la ronde infernale des piétons slalomant entre les bus et les taxis, la place Taksim est dominée par le **Centre culturel Atatürk** (Atatürk Kültür Sarayı Merkesi), bâti en 1970, qui accueille les grandes manifestations culturelles (opéras, concerts, etc.). Le monument aux morts de la guerre d'Indépendance (1919-1922), au milieu de l'esplanade, plaira aux amateurs de sculptures commémoratives.

Un vieux tramway rallie Taksim à Tünel Meydanı, mais le mieux est de descendre à pied Istiklal Cad. pour profiter de son animation.

Istiklal Caddesi*

Entre la place Taksim et la station supérieure du funiculaire (Tünel) s'étend l'Istiklal Cad. (avenue de l'Indépendance), l'ancienne **avenue de Péra**. Aujourd'hui, env. 3 millions de personnes arpentent chaque jour l'avenue bordée d'immeubles aux architectures hétéroclites du XIXe s. Aux cafés, aux pâtisseries, aux libraires, aux magasins de disques, aux galeries d'art et aux anciens théâtres transformés en cinémas s'ajoutent les représentations diplomatiques de différents pays et de nombreuses églises établies au bord de l'avenue ou dans son immédiate périphérie.

L'un des principaux attraits de l'Istiklal Cad., en dehors de son animation, tient à ses nombreux passages qui se signalent à leurs frontons décorés. Légèrement avant d'arriver au **lycée de Galatasaray**, créé en 1868, s'ouvre *(côté dr.)*, le **Çiçek Pasajı*** ou passage des Fleurs (1876), bordé de tavernes et de restaurants, où l'on vient déguster des ***kokoreç*** (tripes grillées) en musique.

détour

Au nord de Taksim s'étend **Nişantaşı**. Les trois grandes artères du lieu (Rumeli Cad., Halaskargazı Cad. et Vali Konaşı Cad.) permettent de découvrir le visage d'une ville opulente, ultra-occidentalisée, où les bijouteries et les boutiques d'antiquités alternent avec les enseignes internationales et les grands noms du prêt-à-porter turc. À l'élégance des commerces répond celle des passants, les hommes d'affaires arborant un costume impeccable. Dans les rues, les femmes sont aussi nombreuses que les hommes : tantôt coiffées d'un foulard islamique du dernier chic, tantôt habillées à l'européenne de façon extrêmement sophistiquée. Tout cela, joint à l'aspect cossu des immeubles, fait le charme de cette sorte de VIIIe arrondissement parisien égaré au bout de l'Europe. En redescendant vers Taksim, rejoignez l'inépuisable **Musée militaire** (Askeri Müzesi ; vis. t.l.j. sf lun. et mar. 9h-12h30 et 13h30-17h ; entrée payante) qui abrite une incroyable collection d'armes. Entre 15h et 16h en été, des concerts de fanfares militaires sont donnés dans l'auditorium.

vie nocturne

Pour profiter des nuits de Beyoğlu *(magazine p. 26)*, deux bars-restaurants-clubs, tendance chic et glamour, avec vue panoramique : **360 Istanbul**, au sommet d'un immeuble sur Istiklal Cad. (entre Galatasaray et Tünel) et **Nu Pera**, 149/1 Meşrutiyet Cad. (parallèle à Istiklal Cad., *photo ci-dessous*). *Voyez également le carnet d'adresses p. 150.* ●

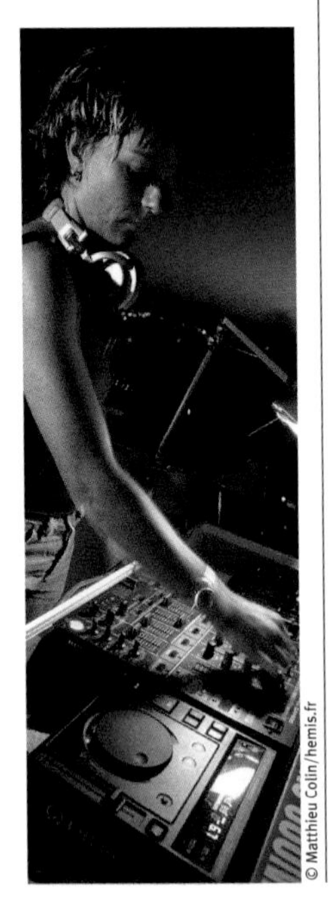

© Matthieu Colin/hemis.fr

Juste à côté, le **Balık Pazarı** ♥ ou marché de Galatasaray vaut le coup d'œil avec ses étals débordant de poissons et de fruits. Il donne accès *(sur la g.)* à l'**Avrupa Pasajı** (passage d'Europe, dit aussi « passage des Miroirs »), de style néoclassique. En continuant encore le **Balık Pazarı**, on trouve *(à dr.)* la **Nevizade Sok.**, la rue des *meyhane* (restaurants à *meze*).

Les alentours du lycée de Galatasaray recèlent bien d'autres curiosités parfois peu connues, à l'instar du **Hocapulo Pazarı**, demeuré étonnamment villageois, juste après la courbe que dessine l'Istiklal Cad. En allant du côté du **consulat de Grande-Bretagne**, construit en 1845 par sir Charles Barry, l'architecte du Parlement de Londres, puis en longeant la Meşrutiyet Cad, vous atteindrez le très chic **musée de Péra*** *(Pera Müzesi, Meşrutiyet Cad., 141 ; vis. mar.-sam. 10 h-19 h, dim. 12 h-18 h ; entrée payante ; www.peramuseum.com)*. Installé dans l'ancien hôtel Bristol (1896), il renferme une collection de poids et mesures ; un étage est consacré à la peinture orientaliste (*Le Dresseur de tortues**, d'Osman Hamdi).

Au bout de la Meşrutiyet Cad., dominant la Corne d'Or, le mythique **hôtel *Pera Palas*** devrait rouvrir ses portes en 2008, après complète rénovation. Son intérieur en forme de décor de cinéma, et son bar en particulier, sont à ne pas manquer *(carnet d'adresses p. 146)*.

Revenez sur l'Istiklal Cad., vous arpenterez la partie la moins animée de l'avenue pour rejoindre la place du ***Tünel*** *(Tünel Meydanı), terminus du funiculaire inauguré en 1875.*

Des délégations étrangères (palais de Venise et palais de France) se cachent à l'est de l'avenue, ainsi que l'attachant quartier de ♥ **Çukurkuma**, avec sa concentration record d'antiquaires *(remontez la Çukurkuma Cad.)*.

La colline de Beyoğlu*

Istanbul redevient peu à peu orientale sur les pentes de la colline de Beyoğlu. Le tracé des rues, irrégulier, trahit l'origine médiévale du quartier de Galata, ancien domaine des commerçants vénitiens, et surtout génois, qui élevèrent la fameuse tour dominant la Corne d'Or.

© Claude Vittiglio

◀ L'ancienne rue d'Algérie, dans le quartier mi-bobo mi populaire de Çukurkuma, derrière le lycée de Galatasaray, a été rebaptisée Fransiz Sok. depuis sa réhabilitation en 2004. S'animant le soir venu, elle ressemble à un petit bout de France.

La **Galip Dede Cad.**, domaine des marchands d'instruments de musique, dégringole la colline en passant devant l'entrée du **kiosque des Derviches tourneurs*** *(Divan Edebiyatı Müzesi; ouv. t.l.j. sf mar. 9h30-16h30; entrée payante)*. Dans un poétique jardin, vous découvrirez le cimetière des derviches *(p. 118)* et la tombe d'un Français, Claude de Bonneval, un renégat qui se mit au service de Mahmut Ier et prit le nom d'Ahmet Paşa. Le kiosque *(tekke)* octogonal, reconstruit à la fin du XVIIIe s., abrite une **collection d'instruments de musique**. Des cérémonies soufies et des concerts y sont régulièrement organisés.

transports

Le Tünel

La plus courte voie de chemin de fer souterraine d'Europe (355 m) grimpe la colline de Beyoğlu. Elle permettait aux notables et aux diplomates arrivés par voie d'eau de rejoindre leur hôtel particulier ou leur délégation sans fatigue. À l'origine, les quais étaient en bois, tout comme les wagons circulant sur les deux voies parallèles. L'un des wagons était divisé en deux, une partie pour les femmes, l'autre pour les hommes. Le second wagon était utilisé pour le transport des marchandises, des animaux, et des chevaux avec leurs attelages. Les voitures actuelles rappelleront de vieux souvenirs aux Parisiens... ●

religion

Les derviches tourneurs

Au XIIIe s., le poète mystique Celaleddîn Rumi, alias Djalâl ad Dîn (1207-1273), fonde la Mavlâviye, plus connue sous le nom d'Ordre des derviches tourneurs. La danse tournoyante ou *semâ* des derviches n'a rien d'une quelconque performance chorégraphique. La giration conduit à l'oubli de soi et permet d'entrer en contact avec Dieu. Au bout de quelques minutes, atteignant une sorte de transe, le danseur oriente la paume de sa main dr. vers le ciel pour recevoir la grâce divine qu'il répand sur la terre de la main g. Tout comme la gestuelle et les mouvements du groupe, codifiés et pourvus d'une signification cosmique, les vêtements des derviches obéissent à une symbolique précise : le manteau noir qu'ils abandonnent avant d'entrer en giration évoque la mort. Le costume de danse est blanc comme un linceul et lié à l'idée d'une nouvelle naissance. La forme de la toque, conique, rappelle les pierres tombales des cimetières musulmans.

Sur les pentes de Galata*

La **tour de Galata** *(Galata Kulesi ; vis. t.l.j. 9 h-20 h ; accès au sommet par ascenseur payant)* est le seul vestige de l'enceinte élevée par les **Génois** au XIVe s. pour protéger la rive nord de la Corne d'Or. Remaniée à plusieurs reprises, incendiée, transformée en prison, la tour prête désormais son cadre à des dîners-spectacles avec danse du ventre *(chers et destinés au tourisme organisé)*. Du haut de ses 68 m, la galerie offre une **vue**** magnifique sur la ville et sa succession de collines d'où surgissent les minarets des mosquées.

Au bas de la tour, la **Galata Kulesi Sok**. rencontre un témoignage du passé catholique du vieux Galata : l'**église Saint-Pierre-et-Saint-Paul** (San Pietro), paroisse des Français de Péra depuis le XVIIIe s. Elle coupe la **Voyvoda Cad**. (ou Bankalar Cad.), où plusieurs banques s'établirent ici fin XIXe s. L'une d'elles, celle de la famille séfarade des **Camondo**, fit don de l'escalier Art nouveau que vous découvrirez en allant vers l'est, répondant à l'engouement suscité par ce style architectural à Istanbul du début du XIXe s. jusque dans les années 1930.

Au bas de Galata

La **Perşembe Pazarı Cad**., prolongement de la **Galata Kulesi Sok**., conserve encore des témoignages laissés par les Génois, comme l'ancien tribunal en encorbellement (XIIIe s.) et plusieurs maisons dites « franques » car habitées autrefois par des « Francs », c'est-à-dire des Latins (elles sont datées du XVIIIe s.). Vous retrouvez l'ambiance de **Karaköy** et découvrez un secteur qui n'a rien à envier au sous-sol du BHV à Paris, avec ses quincailliers qui étendent leurs marchandises sur le pavé, du groupe électrogène au simple tournevis. Les commerces d'outillages, répartis par secteurs, ont envahi le bruyant boulevard Yüzbaşi S. E. Cad. et le **bazar de Galata** (Fatih Çarsısı ; XVe s.), en face duquel vous débouchez. Ils fourmillent dans les petites ruelles autour du bazar et laissent place, peu avant de déboucher devant le pont de Galata, à un petit marché aux poissons.

Bosphore et Corne d'Or

Aux eaux apaisées de la Corne d'Or

s'oppose la folle circulation maritime régnant sur le Bosphore, couloir de navigation mythique qu'empruntent paquebots, cargos, navires de guerre et *supertankers*... Sur les rives du détroit, des palais déments du XIXe s. et de vieilles demeures de bois se reflètent au fil de l'eau : les escales, tantôt en Asie, tantôt en Europe, offrent à chaque fois la découverte d'une petite ville ou d'un village différent, ou de l'ambiance des guinguettes bondées de Stambouliotes endimanchés.

▲ Art nouveau, Art déco ou Modern Style, les *yalı* des rives du Bosphore empruntent aux styles architecturaux en vigueur autour de 1900 (ici Arnavutköy). En les acclimatant aux cieux turcs bien sûr !

7 | Les palais des derniers sultans★★

© Arnaud Galy

▲ Le palais de Dolmabahçe s'étend au bord du Bosphore. Il incarne l'attrait qu'exerçait l'art de l'Occident auprès des derniers sultans.

Cette promenade sur les rives du Bosphore entraîne au temps des derniers sultans, les «trois Abdül» – Abdülmecit Ier, Abdülaziz et Abdülhamit II – qui délaissèrent Topkapı pour les rives du Bosphore, seule valeur intangible dans un monde qui bougeait trop vite. Les sérails de Dolmabahçe, mais aussi de Çırağan et de Yıldız, offrent un fascinant résumé d'un État en décadence, qui déploie ses fastes une dernière fois avant de tirer sa révérence.

Palais de Dolmabahçe**

Vis. accompagnée t.l.j. sf lun. et jeu. 9 h-15 h (16 h en été). Entrée payante. Billets pour le palais seul (Selamlik), le harem seul, ou jumelé.

L'architecture mi-européenne mi-orientale du Dolmabahçe Sarayı est caractéristique de l'éclectisme dont l'ensemble du XIXe s. raffolait, ici comme ailleurs. L'intérieur plaira aux amateurs de décors délicieusement décadents, mais il faudra s'accommoder de visites guidées conduites au pas de course.

Abdülmecit Ier (1839-1861) jugeait le sérail de Topkapı sinistre. Pour bâtir un nouveau palais, il choisit l'emplacement d'une anse marécageuse du Bosphore asséchée par Ahmet Ier au début du XVIIe s. Il fait appel à l'Arménien **Garabed Balyan**, auquel succède son fils **Nikoğos**, également adepte d'un style fusionnant adroitement architecture ottomane et baroque occidental. L'endroit prend le nom de **Dolmabahçe**, qui signifie littéralement « jardin comblé ».

En 1856, après les 37 plats du dîner inaugural, les invités émerveillés découvrent *« la majestueuse construction en marbre d'un blanc bleuâtre, entre l'azur du ciel et l'azur de la mer »*, selon les mots de Théophile Gautier. La splendide construction, destinée à éclipser l'opulence des ambassades étrangères de Péra, devient la **résidence ordinaire des sultans** jusqu'au dernier d'entre eux, **Mehmet VI**, chassé par la République du président Kemal en 1922. Transformé en palais présidentiel, Dolmabahçe voit s'éteindre Atatürk en 1938. Il trouve par la même occasion une nouvelle vocation : celle d'un lieu de pèlerinage.

Le jardin

S'ouvrant au-delà de la tour de l'Horloge de style néo-baroque, le jardin est orné d'une **fontaine aux Cygnes**, dont l'esthétique kitsch préfigure à merveille ce que vous allez voir à l'intérieur du palais. Des gardes en armes interdisent de s'approcher trop près des rives du Bosphore.

Départ : station de tramway Kabataş

Durée : 1 journée.

Allez en taxi jusqu'au **palais de Dolmabahçe** ou prenez le tramway jusqu'au terminus de **Kabataş** (puis env. 15 min. à pied). Après la visite du sérail (au moins 2 h), vous pourrez déjeuner à **Beşiktaş**, au bord du Bosphore. L'après-midi, découverte du **palais de Çırağan** et flânerie dans le **parc de Yıldız**. Retour vers le centre en taxi. Évitez le lun. et le jeu., jours de fermeture de Dolmabahçe et de Yıldız, ainsi que le dim., jour de grande affluence. Hors saison ou en cas de mauvais temps, limitez la visite au palais de Dolmabahçe.

pratique

Plaisirs impériaux

Poussées par une vingtaine de rameurs, des répliques de bateaux impériaux offrent à autant de touristes le plaisir de jouer au pacha le long de la Corne d'Or ou sur les rives du Bosphore.

Départs chaque fin d'après-midi *(mai-oct. : à 18 h 30 ou 19 h 30 + 13 h 30 le w.-e.)* de l'embarcadère d'Eyüp (durée : 45 min.) ou du palais de Dolmabahçe (durée : 1 h). *Rens. et rés.* : ☎ (0212) 296.52.40, www.sultankayiklari.com.

itinéraire 7

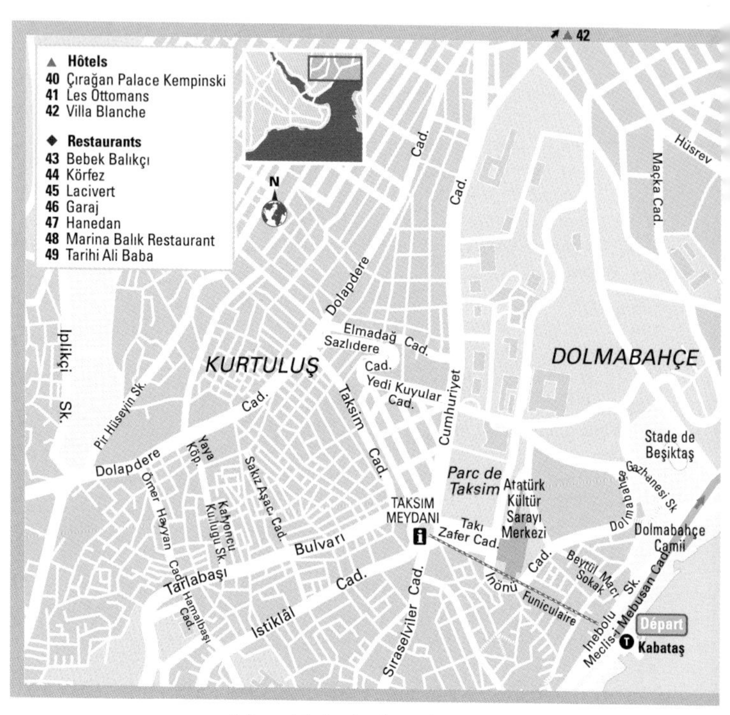

▲ Les palais des derniers sultans

Le palais et le harem

Rassurez-vous, le guide ne vous fera pas visiter les six hammams, les 68 cabinets d'aisance et les centaines de chambres, soit en tout un ensemble de 285 pièces ! D'autres groupes attendent et la visite est strictement minutée, n'admettant aucun retour en arrière, aucun repentir ! En revanche, il vous montrera les plus belles salles : la **salle du Trône***, où pend un lustre en cristal offert par la reine Victoria et pesant la bagatelle de

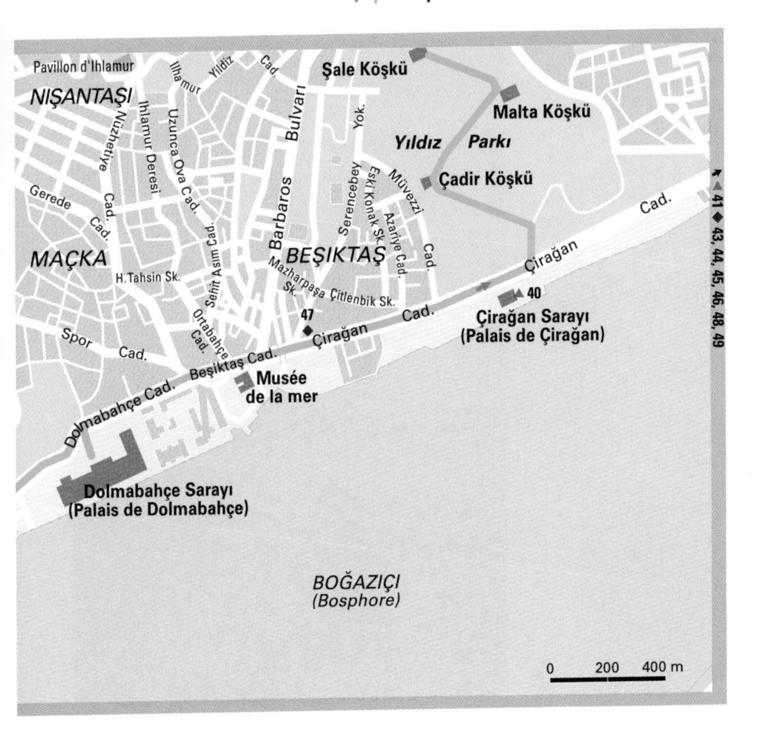

4,5 tonnes; le **salon des Ambassadeurs** et sa coupole magistralement décorée; et surtout l'admirable **escalier d'honneur**★★, orné de défenses d'éléphant qu'on croirait sorties des rêves les plus fous d'un artiste dément. La visite du **harem** *(traversez les jardins; fléchage)*, sombre et mal entretenu, présente beaucoup moins d'intérêt.

Dirigez-vous vers ***Beşiktaş****, quartier animé connu pour sa fameuse équipe de football, jusqu'à atteindre le* ***musée de la Mer****, au bord de l'avenue.*

▶ Le palais de Dolmabahçe s'étire sur env. 600 m à l'emplacement d'une baie qui accueillait des bateaux de guerre jusqu'au XVIIe s. Après avoir été remblayé, l'endroit se couvrit de jardins et de chalets d'été, prenant le nom de « jardin rempli » *(dolma bahçe)*.

© Sylvain Grandadam

Musée de la Mer

Deniz Müzesi ; ouv. t.l.j. sf lun. et mar. 9 h-12 h 30 et 13 h 30-17 h ; entrée payante.

Ce musée retrace l'histoire de la flotte qui permit à l'État ottoman de devenir la plus grande puissance de la Méditerranée au XVIe s., ainsi que des souvenirs attachés à Atatürk. Un pavillon, dans le jardin, abrite des caïques que les sultans empruntaient pour se déplacer sur le Bosphore.

*Après **Beşiktaş**, vous rejoindrez à pied (trajet pénible compte tenu de la circulation) ou en taxi le palais de Çırağan.*

Çırağan Sarayı*

Ne se vis. pas. Accès libre au parc.

Le «**palais des Tulipes**», en pierre de taille et orné de colonnes de porphyre, fut construit par **Abdülmecit Ier**, mais achevé bien après sa mort en 1874, sous **Abdülaziz** (1861-1876). **Nikoğos Balyan** fut encore choisi comme architecte. Abdülaziz, auquel Çiragan doit son parfum d'Arabie, inspiré de l'Afrique du Nord et de l'Alhambra de Grenade, habita très peu le palais: il le jugeait trop humide. **Murat V**, déposé en 1876 après trois mois de règne, y passa le restant de ses jours en résidence surveillée. En 1908, Çiragan accueillit le **Parlement de la république des Jeunes-Turcs** *(p. 165)*. En 1910, un incendie provoqué, paraît-il par un court-circuit, n'en épargna que les murs. Sa restauration intervint seulement en 1986, avec sa transformation en palace et l'adjonction d'une discutable – mais discrète – annexe moderne.

En continuant la Çiragan Cad., vous trouvez bientôt sur la g. l'entrée du parc de Yıldız.

Le parc de Yıldız*

Ouv. t.l.j. du lever au coucher du soleil. Accès libre (péage pour les voitures).

Le plus grand parc de la ville est attaché au souvenir d'**Abdülhamit II** (1876-1909), surnommé le «Sultan rouge» ou le «Grand Saigneur» en raison de sa cruauté. Souffrant de paranoïa aiguë, Abdülhamit II jugeait Dolmabahçe aussi peu sûr que Çırağan. Il s'installa donc sur cette colline, d'où il pouvait voir arriver de loin d'éventuels ennemis. En réaction à l'occidentalisation de ses prédécesseurs, il fit bâtir au sommet une vaste **villa de type chalet**, dont la vocation exclusivement résidentielle et l'intimité sont aux antipodes de la monumentalité affichée à Çırağan et à Dolmabahçe. Le Français Le Roy dessina le parc à l'anglaise, avec essences rares, fontaines, cascades, serres et kiosques avec vue sur le Bosphore. Abdülhamit II fit couvrir les abords de la villa de gravier, dont le bruit l'alertait de l'arrivée des

sport
Allez Beşiktaş !

Le football est un élément majeur de la société turque contemporaine et Beşiktaş, l'un des ses meilleurs représentants. Malgré le peu d'intérêt d'un championnat dans lequel les équipes stambouliotes écrasent la compétition, les derbys entre Beşiktaş (maillot rayé noir et blanc), Galatasaray (maillot rayé rouge et jaune) et Fenerbahce (maillot rayé bleu et jaune) enflamment la ville et offrent dans les stades les ambiances les plus survoltées d'Europe. Si vous êtes à Istanbul un jour de derby, tentez l'expérience du match dans un café… Revers de la médaille de cet engouement sans limite: les journaux populaires décortiquent les moindres faits et gestes de la vie privée des joueurs, la violence se banalise dans les stades et la présence de la mafia entraîne des suspicions de corruption sur les matchs… ●

visiteurs. Il penait soin de changer de chambre chaque soir afin de déjouer les assassinats... Ces précautions furent vaines : les Jeunes-Turcs le déposèrent en 1909. Il s'éteindra en prison neuf ans plus tard.

Les ruisseaux, bassins et allées sinueuses font de ce **grand parc arboré** un lieu de détente agréable en été. Ses **kiosques** en belvédère sur le Bosphore laissent un souvenir ému.

À l'issue d'une rude ascension, vous arrivez à une bifurcation ; à g., la route conduit au premier kiosque.

Les kiosques

Le **Çadır Köşkü** est un ravissant kiosque rouge transformé en café. Il est situé en face du Bosphore, près d'un petit lac agrémenté d'une fausse presqu'île.

Le **Şale Köşkü**, pavillon en haut de la colline, dessiné par l'architecte Raimondo d'Aronco, accueillait les hôtes de marque : le *kaiser* Guillaume II, puis Churchill ou De Gaulle. Sa visite *(vis. guidée t.l.j. sf lun. 9h-16h30 ; entrée payante)* n'est pas vraiment indispensable, sauf si Dolmabahçe n'a pas apaisé votre soif de meubles incrustés de nacre et de lustres en cristal de Bohême.

Le **Malta Köşkü** (pavillon de Malte), charmant, abrite un restaurant. La visite peut s'achever là, après une flânerie sous les arbres et face au Bosphore. •

En sortant du parc, vous retrouverez facilement un taxi qui vous reconduira à la station de tramway de ***Kabataş*** *ou à votre hôtel.*

8 | La Corne d'Or*

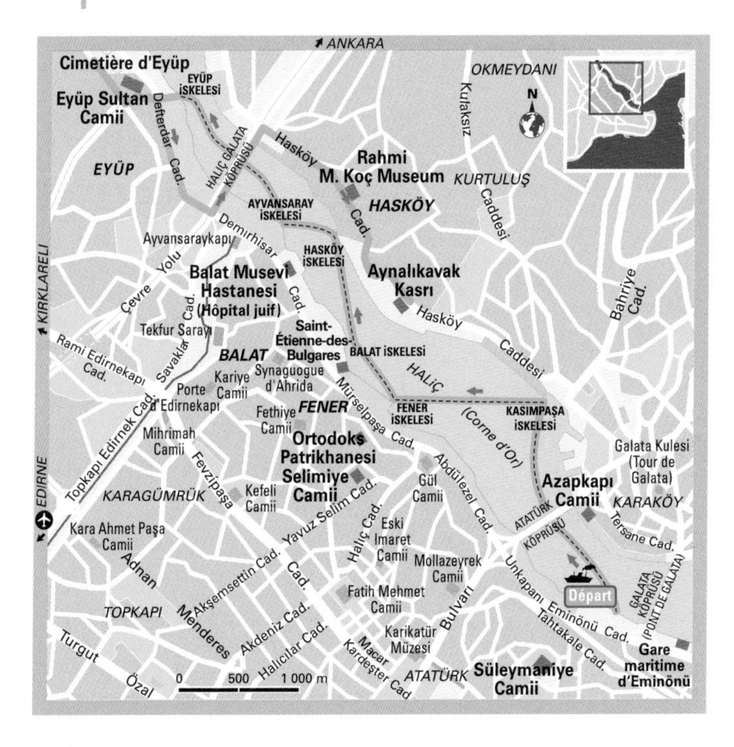

▲ La Corne d'Or

La Corne d'Or (Haliç) doit son nom à sa forme et à la beauté passée de ses rives, mais les Turcs préfèrent l'appeler plus simplement Haliç (le Canal). On comprend les raisons de cette révision à la baisse : malgré de louables efforts de réhabilitation, la Corne d'Or ne laisse pas un souvenir inoubliable. Deux curiosités justifient cependant la promenade que nous vous proposons : la mosquée d'Eyüp et son cimetière, et le petit Aynalıkavak, le « palais des Miroirs ».

itinéraire 8

Départ : privilégiez le bateau pour rejoindre Eyüp, moyen de transport le plus agréable *(env. 30 min. de trajet)*. Les départs ont lieu toutes les heures à l'embarcadère d'Eminönü *(n° 6, à l'O du pont de Galata)*. Ils s'arrêtent à Kasımpaşa, Fener, Balat, Hasköy, Ayvansaray et Eyüp. Prenez ensuite un taxi pour rallier les curiosités de la rive nord.

Durée : une demi-journée (la journée si vous souhaitez voir le musée Koç et Aynalıkavak, sur la rive nord). Évitez le lun., jour de fermeture de ces musées, ainsi que le dim. à la belle saison (longue file d'attente au téléphérique).

D'Eminönü à Eyüp

Le début de la croisière, lorsque le bateau longe la succession de collines de la ville, est splendide. Vous reconnaîtrez la Süleymaniye *(à g.)* et, au loin, la silhouette de la Selimiye. Au débouché du pont **Atatürk**, l'**Azapkapı Camii** *(à dr.)*, œuvre de Sinan datée de 1577, puis les paysages industriels de l'arsenal. Au-delà du pont, au bord du rivage aménagé en espace vert, apparaît bientôt le port de Fener *(sur la g.)*, avec ses petits restaurants, derrière lequel se dresse le **Patriarcat orthodoxe** *(p. 99)*. L'église **Saint-Étienne-des-Bulgares** (1898) s'élève un peu plus loin. Construite dans un style néogothique par l'Arménien Housep Aznavour et par une équipe autrichienne, elle utilise une structure de fer palliant la médiocre qualité du sous-sol. À la hauteur du quartier de **Balat** (*p. 99*), vous découvrez des vestiges des murailles qui ceinturaient la Corne d'Or et, juste au bord du rivage avant d'atteindre Ayvansaray et le quartier des Blachernes *(p. 108)*, l'ancien **hôpital juif** (Balat Musevi Hastanesi).

Eyüp Sultan Camii*

Ouv. toute la journée ; entrée libre.

Le plus intéressant ici est sans doute l'ambiance de ferveur populaire qui règne dans le sanctuaire et dans ses alentours immédiats. Imaginez Lisieux ou Lourdes en version musulmane et vous aurez une idée de ce haut lieu de pèlerinage : les foules y sont aussi nombreuses et la bimbeloterie religieuse pas moins envahissante. Les vendredis et jours de fêtes, il est difficile sinon impossible de se frayer un chemin, tant il y a de fidèles.

La **mosquée** baroque date de la reconstruction effectuée par Selim III, vers 1800. Elle s'inspire de l'Azapkapı Camii de Sinan vue sur l'autre rive de la Corne d'Or.

Derrière la mosquée, sur la colline, s'étend le **cimetière d'Eyüp***. L'histoire de ce grand cimetière est celle d'une redécouverte : celle de la tombe de Eyüp el-Ensari, compagnon et porte-étendard du Prophète, mort vers

une pause ?

Au sommet de la colline, *(téléphérique 8 h-22 h, 23 h en été)*, se trouve le **café Pierre-Loti** (Piyerloti), au cœur d'un grand complexe touristique. L'écrivain amoureux d'Istanbul venait profiter ici de la vue** magique sur la Corne d'Or. Sur la terrasse, un serveur en costume traditionnel vous apportera un thé à siroter loin des clameurs de la ville. ●

© Arnaud Galy

▲ Des hauteurs du cimetière d'Eyüp s'offre une vue extraordinaire sur la Corne d'Or.

675, lors du siège de Constantinople par le sultan Mehmet II en 1453. Chef investi d'une mission divine, celui-ci éleva à l'emplacement de la tombe d'Eyüp un sanctuaire où tous ses descendants iront ceindre rituellement l'épée d'Osman, fondateur de la dynastie ottomane, lors de leur accession au pouvoir. Parallèlement, des grands vizirs et de simples citoyens de l'Empire ottoman souhaiteront être inhumés aux côtés du saint, ultime privilège.

On distinguera facilement les tombes des femmes, avec leurs pierres tombales en forme de fleurs, de celles des hommes, évoquant un turban.

*Revenu près de la mosquée, hélez un taxi et faites-vous conduire sur l'autre rive, dans le quartier d'***Hasköy***.*

© Arnaud Galy

♥ Rahmi M. Koç Museum

Hasköy Cad., 27. Ouv. mar.-ven. 10 h-17 h, sam.-dim. 10 h-19 h. Entrée payante. www.rmk-museum.org.tr.

Ce musée, installé au bord de la rive dans une ancienne fonderie d'ancres, est dédié à Rahmi Koç (né en 1930), président honoraire de la Koç Holding Corp., premier conglomérat du pays.

Il retrace le passé industriel turc, ainsi que l'histoire des transports et des communications. On y voit toutes sortes de machines, de maquettes et d'instruments scientifiques, du wagon utilisé par le sultan Abdülaziz lors de son voyage en Europe en 1867, à un sous-marin de près de 100 m de long.

♥ Aynalıkavak Kasrı*

Ouv. t.l.j. sf lun. et jeu. 9 h 30-16 h (17 h en été). Entrée payante.

Ce petit palais d'été du XVIIIe s., avec son jardin, donne une idée de l'allure que pouvait avoir la Corne d'Or à l'**époque des Tulipes** (1703-1730), au moment de sa plus grande splendeur *(p. 173)*. Le pavillon d'Aynalıkavak faisait partie à l'origine du **palais de Tersane** (palais du Chantier naval), résidence d'été du sultan Ahmet III (1703-1730). Il doit son nom (**palais des Miroirs**, littéralement « le pavillon du Peuplier reflété ») aux miroirs que les Vénitiens avaient offerts au souverain.

L'intérieur a été entièrement refait sous Selim III (1789-1807) dans le style rococo. Vous y verrez de merveilleux **plafonds peints**, des meubles incrustés de nacre, une belle salle du Trône et une autre pièce somptueuse où Selim III aurait composé l'essentiel de son œuvre musicale. Le niveau inférieur abrite une collection d'**instruments de musique ottomans**. ●

Revenez au pont de Galata en taxi.

◄ Tombes au cimetière d'Eyüp. Effet de l'adoption de l'alphabet latin en 1928, la plupart des Stambouliotes ne savent plus lire le nom de leurs aïeux défunts.

une pause ?

Le *Café du Levant*, décoré dans le style brasserie française des années 1930, offre un agréable moment de détente. En sortant du musée, suivez la rive (Hasköy Cad.) jusqu'à la mosquée et prenez à g. vers le kiosque d'Aynalıkavak.

9 | Üsküdar★

▲ Ambiance garantie près de l'embarcadère d'Üsküdar, où se côtoient marchands ambulants, foules pressées et promeneurs de tous âges.

Ce district asiatique d'Istanbul, d'env. 500 000 habitants, est un lieu vivant, essentiellement peuplé par les classes moyennes et populaires. Dans les rues du quartier, au-delà des travaux affectant les abords des rives, se joue le spectacle de la vie quotidienne dans toute sa simplicité: marchés colorés, avalanche de marchandises les plus variées, foules pressées, *dolmuş* sagement alignés et pêcheurs à la ligne au bord du rivage. Ajoutez à cela quelques jolies mosquées et l'endroit mérite d'autant plus une visite qu'il est en pleine métamorphose.

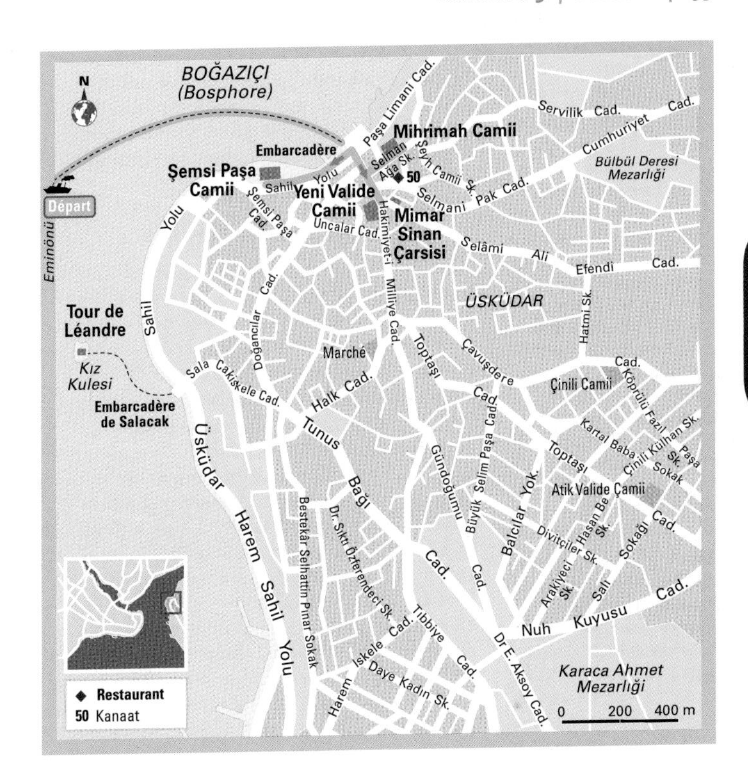

Kız Kulesi

Accès depuis l'embarcadère d'Ortaköy t.l.j. sf lun. 13 h-17 h ou, côté asiatique, de l'embarcadère de Salacak t.l.j. sf lun. 12 h-19 h.

Peu avant d'accoster, le bateau passe non loin de la **tour de Léandre**, ou tour de la Vierge, qui abrite un restaurant touristique *(y prendre un verre permet de profiter de la vue panoramique)*. L'îlot servait de péage commercial au Ve s. av. J.-C., puis de fortin à partir du XIIe s. Il appartenait au système défensif de la ville. Un phare permettait de voir de loin l'arrivée des bateaux ennemis. Son architecture

Durée: une demi-journée.

Départ: des bateaux partent fréquemment d'**Eminönü** *(embarcadère n° 1; trajet: 15 min.)*. Effectuez la visite de préférence l'après-midi pour profiter au retour du coucher de soleil sur la ville. En attendant, baladez-vous sur le quai qui longe le Bosphore vers le S depuis le débarcadère.

▲ **Üsküdar**

environnement
Sous haute surveillance

Chaque jour, le détroit du Bosphore est emprunté par des centaines de « bus de mer », transportant env. un million de personnes, auxquels s'ajoutent les navires de gros tonnage (plus de 50 000 par an), cargos et *supertankers* chargés de pétrole ou de gaz. On a répertorié plus de 200 accidents pour la période 1982-1994... Pour limiter le nombre de sinistres et les risques de catastrophe écologique, les autorités turques ont mis en place des couloirs de navigation, limité la vitesse et interdit le transport nocturne de matières dangereuses.

Ankara voudrait surtout que des pilotes turcs soient imposés aux navires de gros tonnage transitant dans le Bosphore et les Dardanelles, mais moins d'un sur deux a recours à leurs services par souci d'économie. La solution ? Il faudrait que les sociétés d'assurance augmentent sensiblement leurs primes si les armateurs décident de se passer des services des pilotes maritimes turcs... ●

actuelle date du XVIIIe s. Le nom de cette tour rappelle la légende du jeune héros qui se noya en tentant de rejoindre sa belle, la prêtresse Héro. En raison d'un orage, Léandre ne vit pas la flamme qui le guidait habituellement dans sa traversée de l'Hellespont (détroit des Dardanelles) et se perdit.

Hakimiyeti Milliye Meydanı

Un grand projet urbanistique, accompagnant la création d'une ligne de métro et le creusement du tunnel sous le Bosphore, va complètement transformer la physionomie de l'esplanade ouvrant en face du débarcadère. Des travaux sont à prévoir au moins jusqu'en 2010.

Deux sanctuaires bordent l'esplanade de l'Hakimiyeti Milliye Meydanı. La **Mihrimah Camii** (Iskele Camii, *sur la g.*), élevée vers 1547-1548, fait partie des œuvres secondaires de Sinan. L'intérieur présente un plan rare, avec trois demi-coupoles contrebutant la coupole centrale. La **Yeni Valide Camii** (mosquée de la Sultane Mère, *sur la dr.*) date de 1710. Elle a été bâtie par Ahmet III (1703-1730) en l'honneur de sa mère. Selon une vieille croyance populaire, Üsküdar était plus proche du Prophète. C'est ce qui explique la présence d'une autre mosquée non loin du débarcadère, la ♥ **Şemsi Ahmet Paşa Camii**, sur un site pittoresque au bord de l'eau. D'une charmante simplicité, le sanctuaire a été commandé à Sinan en 1580 par un éphémère grand vizir de Soliman, par ailleurs philosophe et poète *(ces mosquées sont ouv. toute la journée ; entrée libre)*.

En face de la place s'ouvre un boulevard (Hakimiyeti Milliye Cad.). Vous découvrirez, autour du **Mimar Sinan Çarsisi**, ancienne construction ottomane s'élevant au nord de l'esplanade, le véritable visage d'Üsküdar, qui s'apparente à quelque grand supermarché en plein air. ●

10 | La croisière des deux continents**

© Emilio Suetone/hemis.fr

Le Bosphore (Boğaziçi) est, depuis toujours, la hantise des marins. Les raisons à cela ? Des navires toujours plus grands, une circulation qui frise la congestion, une forme en S avec des goulets où le Bosphore passe de 3 km à seulement 750 m de large, du brouillard, des courants capricieux et violents... Le long de cette avenue maritime ont poussé des villages que les Arméniens et les Grecs enrichis ont tôt fait de coloniser. L'urbanisme moderne a frappé mais sans trop porter atteinte aux localités qui jalonnent les rives ; Emirgan et Sarıyer *(rive européenne)* ou Anadolu Kavağı *(rive asiatique)* demeurent les lieux de promenade favoris des Stambouliotes quand viennent les beaux jours.

▲ Posé sur les rives du Bosphore, le charmant village de Küçuk Sü, les « eaux douces d'Asie » en turc...

Durée: Une journée. Évitez les w.-e. en été (surtout les dim.), ainsi que les lun. et les jeu., jours de fermeture des monuments.

Départ: En été, 3 croisières/j. *(4 le dim.)* au départ de Sirkeci-Eminönü *(n° 4; horaires à l'office du tourisme)*. Trajet d'env. 1h30, avec arrêts à Barbaros Hayreddinpaşa, Kanlıca, Yeniköy, Sarıyer, Rumeli Kavağı et Anadolu Kavağı, terminus de ligne *(retour inclus dans le prix du billet)*.

Emportez des jumelles. Il est possible de descendre dans n'importe quel port et de reprendre sa route plus tard. Pour voir l'intérieur des palais ou flâner dans les parcs, vous pouvez caboter de port en port, suivre l'itinéraire 8, *p. 127* ou visiter par la route (bus ou *dolmuş* à Taksim pour la rive européenne; taxis collectifs pour la rive asiatique à la station d'Üsküdar près du débarcadère).

Voir la carte des rives du Bosphore sur le plan détachable.

10 itinéraire

vie nocturne

Ortaköy compte beaucoup de restaurants et cafés, ainsi que des boîtes de nuit aussi branchées que sélectives *(carnet d'adresses p. 149 et p. 150)*.

Au fil de l'eau

La croisière est le moyen le plus agréable pour une découverte rapide et globale du Bosphore. N'oubliez pas que les résidences sont conçues comme celles du Grand Canal à Venise, c'est-à-dire pour être vues depuis le Bosphore. La promenade en bateau impérial à rames *(p. 121)* donne un aperçu des beautés du détroit. Évidemment, c'est plus cher et encore plus touristique que la croisière classique.

Zigzaguant d'une rive à l'autre, le bateau cabote le long du détroit en donnant un panorama très complet de l'architecture de la fin du XIXe et du début du XXe s.

Les palais des trois Abdül

Le bateau parvient rapidement au port de Barbaros Hayreddinpaşa *(rive européenne)*, entre le **palais de Dolmabahçe** *(p. 121)* et le **palais de Çırağan** *(p. 125)*, dont vous verrez l'extérieur avec le recul nécessaire. Sur la colline au-dessus de Dolmabahçe se dresse la silhouette postmoderne hideuse du *Bosphorus Hotel*. Sa construction en un tel site a suscité de vives polémiques, mais les intérêts financiers ont prévalu... Heureusement, le **parc de Yıldız** *(p. 125)*, au nord, offre un autre écrin au palais de Çırağan.

♥ Ortaköy

Le bateau appareille pour son prochain arrêt: Kanlıca *(rive asiatique)*. Vous approchez rapidement du pont suspendu (Boğaziçi Köprüsü), construit en 1973.

Sur la rive européenne se dresse la cité d'♥ Ortaköy et sa ravissante petite ♥ **mosquée baroque**. «Le village du milieu» [du détroit], *ortaköy* en turc, est devenu une sorte de Montmartre stambouliote où les foules se pressent en toutes saisons, surtout l'été et le dimanche.

Un peu plus loin sur cette même rive européenne, le ravissant ♥ **Arnavutköy** aligne ses maisons de bois autour d'une petite baie. Le «village des Albanais» a récemment fait parler de lui en se dressant contre le projet d'un troisième pont sur le Bosphore.

© Fred Derwal/hemis.fr

♥ Beylerbeyı Sarayı*

Vis. guidée t.l.j. sf lun. et jeu. 9h30-16h (17h en été) ; entrée payante.

Situé juste après le pont, du côté asiatique, le palais de Beylerbeyı fut construit en 1865 par Sarkis et Argos Balyan dans le style **néoclassique** pour le sultan **Abdülaziz**. Le « palais du bey des beys » (Beylerbeyı) était prêté aux personnalités étrangères lors de leurs voyages officiels. Les lustres en cristal de Bohême, les colonnettes en cristal de Venise, les rideaux de perles et les tentures de soie ont vu défiler les tsars de Russie et l'impératrice Eugénie, épouse de Napoléon III. L'intérieur abrite un nombre considérable de **représentations de bateaux** : la marine était la grande passion du sultan.

▲ La mosquée d'Ortaköy est une œuvre de Nikoğos Balyan, qui imite ici l'édifice dessiné à Dolmabahçe par son père, Garabed.

architecture
Les *yalı*

Ces fragiles **demeures en bois** doivent leur nom à leur situation au bord, voire au-dessus de l'eau (*yalı* provient du grec yialos qui signifie « rivage marin »). Elles étaient à l'origine peintes en rouge, et la modestie de leur apparence extérieure s'opposait à la richesse d'un intérieur où il n'était pas rare de trouver des fontaines et des plafonds peints en trompe l'œil. Les notables qui habitaient ces demeures à plan en croix orienté vers les quatre points cardinaux y retrouvaient une vie proche de la nature.

À partir du XVIIIe s., les *yalı* adoptent les tons pastel et les formes **rococo** alors en vogue en Europe, puis au XIXe s. des façades rectilignes de style **néoclassique.** Dans les années 1920, les derniers bâtisseurs de *yalı* adopteront l'**Art nouveau** ou le style **Art déco** *(p. 173)*. Aujourd'hui, posséder un *yalı* est un luxe réservé aux très hauts dignitaires, capitaines d'industrie ou princes saoudiens. Nombres de ces fragiles bâtisses sont en mauvais état mais leur restauration est extrêmement coûteuse. ●

Küçüksu Sarayı*

Vis. guidée t.l.j. sf lun. et jeu. 9 h 30-16 h ; entrée payante.

Le palais de Göksu, sur la rive asiatique, est antérieur au précédent (1856). Il a été construit dans le style **baroque** par Nikoğos Balyan pour **Abdülmecit Ier**, frère et prédécesseur d'Abdülaziz, qui pouvait y accoster en bateau avec sa suite. Situé entre deux rivières, sur la magnifique prairie des « eaux douces d'Asie » (*Küçük Su* en turc), il servait autrefois aux divertissements de l'aristocratie ottomane. Remarquez aussi les beaux *yalı* du XVIIIe s. au bord de la rive. En face, du côté européen, s'étend la cité huppée de **Bebek** où s'élève, non loin de la rive, la **villa modern style du khédive d'Égypte**.

La ♥ forteresse de Rumeli*

Construite au cours de l'été 1452 par Mehmet II en trois mois, la citadelle *(côté européen)* a largement aidé à la **conquête de Constantinople**, bloquant le passage à tout éventuel transport de vivres. En face, du côté asiatique, se dressent les vestiges du château d'**Anadolu Hisarı**, qui complétait le dispositif en verrouillant le détroit.

Le bateau passe sous le **pont Fatih Sultan Mehmet** (1987), beaucoup plus spectaculaire que le précédent pont par sa taille, juste avant de faire escale à **Kanlıca** *(rive asiatique)*, réputée pour ses yaourts au miel.

Le ♥ parc d'Emirgan

Les Stambouliotes fréquentent ce parc, sur la rive européenne en face de Kanlıca, le week-end en été et au printemps, lorsque fleurissent les tulipes. Le grand jardin abrite un palais de style chalet et des kiosques transformés en cafés. La vue sur le Bosphore y est magnifique.

Près du débarcadère d'Emirgan, une bâtisse cossue des années 1920 et son annexe moderne abritent le **musée Sekıp Sabancı*** *(Sekıp Sabancı Cad., 22 ; ouv. t.l.j. sf lun. 10 h-18 h, 22 h le mer. et le sam. ; entrée payante ; http://muze.sabanciuniv.edu)*, qui présente la remarquable collection d'un capitaine d'industrie turc passionné de calligraphie ottomane.

De Yeniköy à Anadolu Kavağı

Dans la suite du trajet jusqu'au terminus d'Anadolu Kavağı *(rive asiatique)*, vous verrez encore de beaux *yalı*, notamment à **Yeniköy** et **Büyükdere** *(côté européen)*.

Cette dernière localité possède un intéressant musée : le **musée Sadberk Hanım*** *(ouv. t.l.j. sf mer. 10h-17h ; entrée payante ; www.sadberkhanimmuzesi.org.tr)*, installé dans une belle demeure en bois de la fin du XIXe s. Il renferme une collection de pièces antiques et de céramiques anciennes (collection de l'industriel Koç).

Avant de revenir à Eminönü, vous aurez le choix entre les localités de **Sarıyer** et d'**Anadolu Kavağı**. Sarıyer, du côté européen, est très touristique mais charmante avec ses restaurants de poissons au bord de l'eau.

Sur l'autre rive, les terrasses d'**Anadolu Kavağı** sont mieux ensoleillées. Les plus courageux grimperont la colline jusqu'aux ruines (XIVe s.) du **château Yoros** *(accès libre ; comptez 45 min. à pied AR)*, d'où la **vue**** est somptueuse. ●

Carnet d'adresses

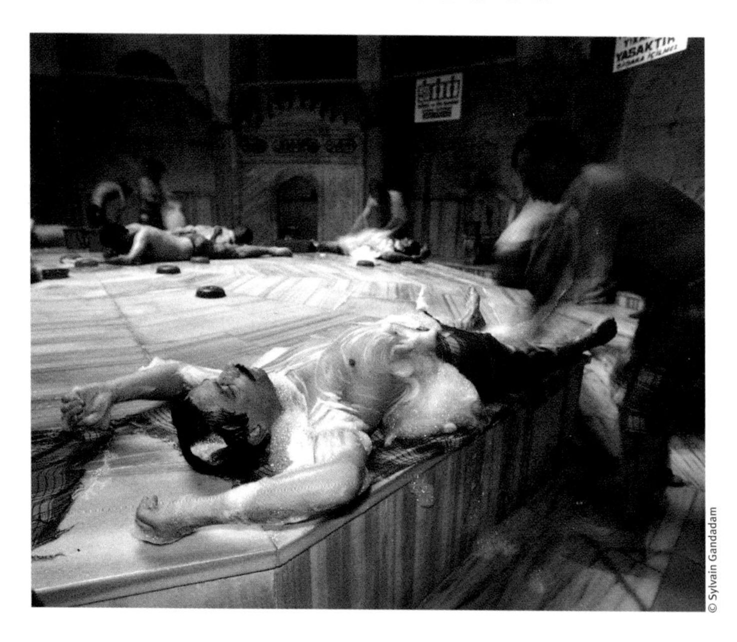

© Sylvain Gandadam

▲ Aller au hammam s'apparente à un rite initiatique dont on ressort à la fois hébété et vivifié.

Pour la localisation des adresses, reportez-vous au plan détachable en rabat arrière de couverture. Les hôtels et les restaurants sont également placés sur les plans d'itinéraires *(liste dans le sommaire, p. 5)*.

Informations touristiques

Bureau de Sultanahmet, Sultanahmet Meydanı **C4** ☎ (0212) 518.18.02 ou ☎ (0212) 518.87.54. En bordure de l'hippodrome. *Ouv. t.l.j. 9h-17h.* À la **gare maritime de Karaköy C3** ☎ (0212) 249.57.76. À la **gare ferroviaire de Sirkeci C3** ☎ (0212) 511.58.88. **À l'aéroport Atatürk** ☎ (0212) 573.41.36 ou (0212) 663.07.98. Antennes de l'office du tourisme en saison sur **Beyazıt Meydanı F6** ☎ (0212) 522.49.02 et sur **Taksim Meydanı C2** ☎ (0212) 245.68.76. Plans de la ville, liste des hôtels et informations utiles. Les hôtesses parlent anglais, allemand et parfois français, mais l'accueil est trop souvent expéditif.

Adresses utiles

●●● *Pour les informations concernant les aéroports et gares, reportez-vous aux rubriques «Arrivée à Istanbul», p. 194, et «Transports» du chapitre «Sur place», p. 203.*

Agences de voyages

Nombreuses le long de Divan Yolu **G6/C4** et de Cumhuriyet Cad. **C1/C2**.

Association des agences de voyages (Türsab), Aşık Kerem Sok., 55-1, quartier de Dikilitaş, au nord du pavillon d'Ihlamur **hors pl. par D1** ☎ (0212) 259.84.04, www.tursab.org.tr.

Pour les **visites organisées**, adressez-vous à la Fédération des associations de guides touristiques turcs : **Tureb**, Soğancı Sok., 7/6 Kat 3, Cihangir **C2** ☎ (0212) 292.05.20, www.tureb.net.

Banques

Elles abondent dans le centre historique, autour de la poste centrale **C3**, près de la gare maritime **C3**, le long de Divan Yolu **G6/C4**, de Voyvoda Cad. (Bankalar Cad.) **B3/C3**, et autour de Taksim **C2**.

Vous trouverez des guichets de change un peu partout en ville et notamment sur **Ordu Cad. F6** (Laleli), dans le **Grand Bazar G6** et aux alentours de la gare de **Sirkeci C3**.

Compagnies aériennes

Air France, Dikilitaş, Emirhan Cad., 145 A Blok Atakule Kat 14, Beşiktaş **D1** ☎ (0212) 310.19.19, fax (0212) 236.92.75. À l'aéroport ☎ (0212) 465.54.91/3, fax (0212) 465.54.98. **Turkish Airlines** ☎ 444.08.849 *(centrale d'informations et de rés. 24 h/24)* ; Cumhuriyet Cad., Gezi Dukkanlan, 7, Taksim **C2** ☎ (0212) 252.11.06 ; à l'aéroport ☎ (0212) 463.63.63, fax (0212) 465.21.21.

Consulats

France, Istiklal Cad., 8 **C2** ☎ (0212) 334.87.30, www.consulfrance-istanbul.org. *Ouv. au public lun.-ven. 9 h-12 h 30. Permanence téléphonique 24 h/24* ☎ (0212) 393.38.50. À la même adresse, l'**Institut français d'Istanbul** offre un programme culturel de qualité (expositions, films et manifestations diverses...) et dispose également d'une médiathèque. **Belgique**, Sıraselviler Cad., 73, Taksim **C2** ☎ (0212) 243.33.00. **Suisse**, Büyükdere Cad., 173, Levent Plaza A Blok, Kat 3 **hors pl. par D1** ☎ (0212) 283.12.82. **Canada**, Istiklal Cad., 373-5 **C2** ☎ (0212) 251.98.38.

Hôpitaux et urgences

Hôpital américain (Amiral Bristol), Güzel Bahçe Sok., 20, à Nişantaşı **D1** ☎ (0212) 311.20.00. **Hôpital international**, Istanbul Cad., à Yeşilköy **hors pl. par A4** ☎ (0212) 663.30.00. **Urgences** ☎ 112. **Police secours** ☎ 155. **Police touristique**, Turizm Şuber Müdürlüğü, Yerebatan Cad., 6 **C4** ☎ (0212) 527.45.03.

Journaux français

Vous les trouverez dans plusieurs kiosques près de Sainte-Sophie **C4**, le long de Divan Yolu **G6/C4** et dans Istiklal Cad. **C2**. Des revues et quelques livres français sont également en vente au **consulat de France**, Istiklal Cad., 8 **C2**.

Poste

Poste centrale de Sirkeci, Yeni Postahane Cad. **C3**. *Ouv. lun.-sam. 8h-23h et dim. 9h-19h.* Outre vos démarches postales, vous aurez l'occasion d'admirer un très beau bâtiment du XIXe s. Autres bureaux de poste importants près de Galatasaray Meydanı **C2**, dans Cumhuriyet Cad. **C1/C2** et au Grand Bazar **G6**.

Hôtels et restaurants

Les numéros en bleu et rouge *renvoient aux adresses placées sur le plan détachable et sur les plans d'itinéraires.*

Sultanahmet et Sirkeci

Hôtels

▲▲▲▲ **Ayasofya Konakları** ♥ 1, Soğukçeşme Sok. **C4** ☎(0212) 513.36.60, fax (0212) 513.36.69, www.ayasofyapensions.com. Situation idéale, entre Sainte-Sophie et le palais de Topkapı. Le nec plus ultra des hôtels de charme, installé dans de vieilles demeures en bois dont la restauration a été commandée par le Touring Club. Prix plus abordables qu'il n'y paraît. Avec petit déjeuner le matin dans le kiosque du proche hôtel *Konuk Evi* et librairie où l'on peut emprunter des livres. Pas de TV. *61 ch. et 5 suites réparties dans 9 maisons.*

▲▲▲▲ **Eresin Crown Hotel** 2, Küçük Ayasofya Cad., 40 **C4** ☎(0212) 638.44.28, fax (0212) 638.09.33, www.eresincrown.com.tr. Un hôtel boutique qui est aussi un « hôtel musée », car incluant des vestiges archéologiques (de l'époque hellénistique aux temps byzantins) trouvés lors de la construction. *60 ch. et suites.*

▲▲▲▲ **Four Seasons** 3, Tevfikhane Sok., 1 **C4** ☎(0212) 638.82.00, fax (0212) 638.82.10, www.fourseasons.com/istanbul. L'ancienne prison ottomane, édifiée en 1910, où tant d'intellectuels ont été incarcérés pour délit d'opinion, est devenue l'un des hôtels les plus luxueux de la ville. Ambiance des Mille et Une Nuits garantie. Baby-sitting sur demande, restaurant sous verrière dans la cour intérieure, sauna, etc. Cher, même hors saison. *54 ch. et 11 suites.*

▲▲▲▲ **Yeşil Ev** ♥ 4, Kabasakal Sok., 5 **C4** ☎(0212) 517.67.85, fax (0212) 517.67.80, www.istanbulyesilev.com. Le pionnier des hôtels de charme de Sultanahmet tient toujours le haut du pavé, notamment par la qualité de son accueil. Les chambres sont calmes et meublées avec goût. Le matin en été, on prend le petit-déjeuner dans le jardin, qui devient en soirée un délicieux restaurant. *20 ch. et 1 suite.*

budget

Ces tarifs sont sur la base d'une nuit en chambre double, en haute saison. Comptez 30 % de réduction en hiver, au début du printemps et à la fin de l'automne.

▲▲▲▲ de 150 à plus de 250 €

▲▲▲ de 100 à 150 €

▲▲ de 45 à 100 €

▲ moins de 45 € ●

hébergement
Se loger à petits prix

• **Hôtel avec dortoirs.** Cordial House 51, Peykhane Sok., 29 **G6** ☎ (0212) 518.05.76, fax (0212) 516.41.08, www.cordialhouse.com. Des doubles et des dortoirs. Plutôt bien situé mais impersonnel. À partir de 9 €/pers.

• **Pensions avec dortoirs.** Mavi Guesthouse 52, Kutlugun Sok., 3 **C4** ☎ (0212) 517.72.87, fax (0212) 516.58.78, www.maviguesthouse.com. Établissement recommandé par des voyageurs. Des doubles et des dortoirs. Sympathique ambiance très internationale. À partir de 10 €/pers. **Chill Out Hostel** 53, Balyoz Sok. 17-19 **C2** ☎ (0212) 249.47.84, www.chillouthc.com. Ambiance routard dans cet établissement de Beyoğlu tenu par de jeunes propriétaires. Des doubles et des dortoirs. Proche de l'animation nocturne. À partir de 11 €/pers.

• **Camping.** Yeşilyurt Kampı, Sahıl Yolu Cad., 2, à Florya **hors pl. par A4** ☎ (0212) 523.84.08. Près de l'aéroport et de la voie ferrée... Pratique cependant pour aller à Istanbul (gare de Sirkeci). •

▲▲▲ **Blue House Mavi Ev** 5, Dalbasti Sok., 14 **C4** ☎ (0212) 638.90.10, fax (0212) 638.90.17, www.bluehouse.com.tr. Un hôtel de charme dans une jolie bâtisse bleue en bois, à deux pas de la mosquée Bleue. Avec restaurant offrant une vue sur la mer de Marmara. *27 ch. et 1 suite.*

▲▲▲ **Ibrahim Paşa** 6, Terzihane Sok., 5, Adliye Yani **G6** ☎ (0212) 518.03.94, fax (0212) 518.44.57, www.ibrahimpasha.com. Un ancien *konak* du quartier de Sainte-Sophie offrant un petit nombre de chambres, gage d'intimité. Terrasse sur le toit pour prendre le petit déjeuner. *19 ch.*

▲▲▲ **Nomade** 7, Ticarethane Sok. 15 **G6** ☎ (0212) 513.81.72, fax (0212) 513.24.04, www.hotelnomade.com. Dans ce petit hôtel sympa, on parle français, comme l'auteur de la décoration pleine de gaieté, Dan Beranger. *16 ch.*

▲▲ **Askoç** 8, Istasyon Arkası Sok., 15 **C3** ☎ (0212) 511.80.89, fax (0212) 511.70.53, www.askochotel.com. Jouit d'une situation pratique, non loin de l'embarcadère d'Eminönü. Chambres très correctes à prix imbattable (à partir de 40 € en basse saison). *100 ch.*

▲▲ **Uyan** 9, Utangaç Sok., 25 **C4** ☎ (0212) 516.48.92, fax (0212) 518.92.55, www.uyanhotel.com. Très bonne situation et beaucoup de charme dans cet hôtel installé dans une demeure de la fin des années 1920. *26 ch.*

Restaurants

Les restaurants gastronomiques des hôtels ***Yeşil Ev*** et ***Four Seasons*** *(ci-contre)* figurent parmi les meilleurs du quartier. En dehors des adresses conseillées ci-après, évitez les établissements très touristiques proches de la mosquée Bleue et de Yerabatan Sarayı. *Consultez également notre chapitre consacrée à la gastronomie turque, p. 38. Sans mention contraire, ces restaurants sont ouv. t.l.j. midi et soir.*

♦♦♦ **Konyalı 10**, au palais de Topkapı **C4** ☎ (0212) 513.96.96. *F. mar. et le soir.* Pour déjeuner avec le Bosphore et la mer de Marmara en toile de fond. Cher tout de même et vraiment polyglotte.

♦♦♦ **Rami ♥ 11**, Utangaç Sok., 6 **C4** ☎ (0212) 517.65.93. Cuisine ottomane très réussie et accueil cordial. Cher, mais impossible de dîner avec une aussi belle vue sur la mosquée Bleue *(rés. impérative en terrasse, interdit de fumer)*. Salle intime au décor raffiné. Mais évidemment, vous ne serez pas les seuls touristes à profiter d'un tel cadre…

♦♦♦ **Rumeli Café 12**, Divan Yolu Cad., Ticarethane Sok., 8 **G6** ☎ (0212) 512.00.08. Beau choix de salades et des plats originaux (poulet à l'orange) servis avec la plus grande amabilité. Petite terrasse donnant sur une rue calme en été, et salle en pierre pour l'hiver avec cheminée. À l'étage, petite salle très agréable également.

♦♦♦ **Sarniç 13**, Soğukçeşme Sok., 8 **C4** ☎ (0212) 513.36.60. *F. juil. et le midi.* Pour l'expérience unique d'un dîner aux chandelles dans une ancienne citerne byzantine. Malheureusement bruyant en présence de groupes, ce qui est fréquent.

♦♦ **Orient-Express 14**, gare de Sirkeci, 2 **C3** ☎ (0212) 522.22.80. La brasserie en forme de buffet de gare qui accueillait les voyageurs du mythique Orient-Express, un « monument historique » au décor unique, avec des murs couverts de tableaux et de photos d'Agatha Christie ou d'Atatürk. Dans l'assiette, une cuisine ottomane et internationale.

budget

Ces tarifs sont sur la base d'un repas complet, hors boissons.

♦♦♦ de 30 à 60 €

♦♦ de 20 à 30 €

♦ moins de 20 € ●

♦♦ **House of Medusa 15**, Yerebatan Cad., 19 **C4** ☎ (0212) 511.09.03. Touristique, mais peu banal, surtout si l'on décide de déguster des spécialités turques à l'orientale, allongé sur des coussins au 2e étage. Salle plus conventionnelle au 1er étage et terrasse agréable pour prendre l'air à la belle saison.

♦ **Tarihi Sultanahmet Köftecisi 16**, Divan Yolu, 12 **C4** ☎ (0212) 520.05.66. Bien pour se sustenter dans une ambiance « cantine ». On y déguste d'excellentes *köfte* (boulettes de viande), ainsi que du *piyaz* (salade de haricots).

De Beyazıt à Aksaray

HÔTELS

▲▲▲ **Best Western The President** 17, Tiyatro Cad., 25 **G6** ☎ (0212) 516.69.80, fax (0212) 516.69.98, www.thepresidenthotel.com. L'établissement dispose de grandes chambres confortables et fonctionnelles. Wi-Fi gratuit, piscine sur le toit et parking. *204 ch.*

▲▲ **Yiğitalp** 18, Çukur Çeşme Sok., 38 **F5** ☎ (0212) 512.98.60, fax (0212) 512.20.72, www.yigitalp.com. Près de la Şehzade, un établissement luxueux (4 étoiles) qui adapte ses prix à la fréquentation (à partir de 50 € hors saison). *88 ch.*

Restaurants

♦♦♦ **Dârüzziyâfe** 19, Şifahane Cad., 6 **F5** ☎ (0212) 511.84.14, www.daruzziyafe.com.tr. Un restaurant « ottoman » installé dans l'ancien hôpital du complexe de la Süleymaniye. Les plats sont à la mesure du cadre – raffinés. L'été, on déjeune dans la cour. Pas d'alcool et comme souvent, risque de voir arriver des groupes. Évitez les places près des portes battantes.

♦♦ **Havuzlu** 20, dans le Grand Bazar, Kapalı Carşı **G6** ☎ (0212) 527.33.46. *F. le soir et le dim.* Idéal pour une pause *kebap* entre deux achats au Grand Bazar et pour se remettre d'un marchandage éreintant. Intéressant décor voûté.

♦♦ **Pandeli** 21, dans le Bazar égyptien **G5** ☎ (0212) 527.39.09. *F. le soir.* Installé au 1er étage du Bazar égyptien, *Pandeli* vaut surtout pour son beau décor de faïences et de voûtes (avec vue sur l'agitation trépidante des alentours du pont de Galata)... plus que pour sa cuisine, qui reste assez quelconque.

♦♦ **Şehzade Mehmet Sofrası** 22, dans une dépendance de la Şehzade **F5** ☎ (0212) 526.26.48. Un restaurant à l'ottomane moins connu que le *Dârüzziyâfe*, avec petits salons pour déguster des *meze* à l'orientale et musique *live* certains soirs. L'été, on dîne dans la cour, autour de la fontaine. Pas d'alcool.

♦♦ **Zeyrekhane** 23, Sinanağa Arkası Sok., 10 **F5** ☎ (0212) 532.27.78. *F. le dim.* Un établissement créé par le Rahmi Koç Museum et la municipalité de Fatih. Cadre chic pour déguster un excellent *kebap* ou un plat plus sophistiqué. L'été, grande terrasse pour siroter un verre en profitant de la vue d'anthologie sur la mosquée de Soliman.

♦ **Kaburga Sofrası** ♥ 24, Şekerci Sok., 8 **A4** (petite rue donnant sur la place d'Aksaray) ☎ (0212) 532.73.73. Une adresse en forme de révélation où vous ferez connaissance avec des plats inconnus ailleurs et des saveurs (assez épicées) venues de la région de Mardin « la Blanche », dans le S-E Anatolien, près de la Syrie. Pas d'alcool. Autre adresse à Şisli (Halaskargazı Cad., 252-254 **hors pl. par C1**).

On vous vantera peut-être les mérites des restaurants à poissons du quartier de **Kumkapı F6**, ancien village de pêcheurs jadis peuplé d'Arméniens. Soyez inflexible, à moins d'aimer les ambiances touristiques, avec convives au coude à coude et musiciens allant de table en table. Aucun Stambouliote ne s'aventure ici : pour manger du poisson, ils préfèrent se rendre dans les *meyhanes* de Galatasaray ou sur les rives du Bosphore (à Beşiktaş ou Ortaköy côté européen ; à Kadıköy côté asiatique).

Au bord de la Corne d'Or

Résistez à l'insistante retape des serveurs quand vous traverserez le pont de Galata **G5** : les restaurants à poissons font payer très cher leur situation privilégiée. Évitez aussi ceux du quai de Karaköy **C3**.

▸ HÔTELS

▲▲▲ **Kariye** ♥ 25, Kariye Camii Sok., 18 **A2** ☎(0212) 534.84.14, fax (0212) 521.66.31, www.kariyeotel.com. Magnifique demeure en bois à deux pas de Saint-Sauveur-in-Chora. Chambres décorées dans le style des demeures bourgeoises du XIXe s. Le restaurant (excellent) s'installe l'été dans le jardin. Un petit paradis. *24 ch., 2 suites et un pavillon indépendant.*

▲▲ **Daphnis** 26, Sadrazem Ali Paşa Cad., 26 **B2** ☎(0212) 531.48.58, fax (0212) 532.89.92, www.hoteldaphnis.com. Une vieille bâtisse traditionnelle restaurée avec goût en face du Patriarcat orthodoxe. Bon accueil, du charme et une situation originale, au cœur du quartier de Fener. *19 ch.*

▸ RESTAURANT

▲ **Agora Meyhanesi** 27, Leblebiciler Sok., 8 **A2** ☎(0212) 523.78.77. Une *meyhane* née en 1890, à la réputation bien établie, pour déguster de succulents *meze* de poissons. Avec sa devanture de bois, elle est un monument du quartier de Balat.

De Karaköy à Taksim

▸ HÔTELS

▲▲▲▲ **Pera Palas** 28, Meşrutiyet Cad., 98-100 **C2** ☎(0212) 251.45.60, fax (0212) 251.40.89, www.perapalas.com. Le vénérable monument, construit par la Compagnie internationale des wagons-lits, pour les passagers du train Orient-Express en termine avec sa nécessaire rénovation *(fin 2008)*, après 18 mois de travaux. L'intérieur en forme de musée (suite 101 à la gloire d'Atatürk, chambre 411 dédiée au souvenir d'Agatha Christie) est superbe : ascenseur magnifique, meubles anciens, lustres dégoulinant de verroterie, miroirs gigantesques... Si vous n'y logez pas, profitez au moins du bar *(p. 149). 139 ch. et 6 suites.*

▲▲▲ **Richmond** 29, Istiklal Cad., 445 **C2** ☎(0212) 252.54.60, fax (0212) 252.97.07, www.richmondhotels.com.tr. Un hôtel de standing mélangeant ancien et moderne. Il jouit surtout d'une très bonne situation, à deux pas du Tünel, dans le quartier des anciennes ambassades. Excellente pâtisserie attenante. *101 ch. et 8 suites.*

▲▲ **Büyük Londra Oteli** 30, Meşrutiyet Cad., 117 **C2** ☎(0212) 249.10.25, fax (0212) 245.06.71, www.londrahotel.com. Superbe établissement construit en 1892 en balcon sur la Corne d'Or, qui accueillait les voyageurs de l'Orient-Express. Très tendance. Certaines chambres ont été rénovées, d'autres – bien plus abordables – séduiront les amateurs de luxe fané... *54 ch.*

▲▲ **Vardar Palace** 31, Sıraselviler Cad., 54-56 **C2** ☎(0212) 252.28.88, fax (0212) 252.15.27, www.vardarhotel.com. Dans une demeure levantine rénovée donnant malheureusement dans une rue bruyante. Chambres décorées de meuble en acajou. *40 ch.*

▸ RESTAURANTS

♦♦♦ **Rejans** 32, Emir Nevruz Sok., 17 **C2** ☎(0212) 244.16.10. *F. dim.* Pour les nostalgiques de la Constantinople du début du XXe s., un restaurant tenu de père en fils par des Russes. La vodka coule à flots et accompagne le canard aux pommes.

♦♦♦ **Süheyla** ♥ 33, Kalyoncukulluk Sok., 45 **C2** ☎(0212) 251.83.47. *Ouv. uniquement le soir.* Excellente taverne à proximité du marché aux poissons, où l'on déguste du bon poisson, des *meze* réellement originaux, le tout copieusement arrosé de *rakı*.

♦♦ **Cumhuriyet** 34, Balık Pazarı, 47 **C2** ☎(0212) 243.64.06. Murs tapissés de photos d'Atatürk, qui fréquenta naguère cette *meyhane*, la toute première du genre à s'ouvrir dans cette rue. Au rez-de-chaussée, bons *meze* que l'on déguste en écoutant de la musique turque. Salle plus bruyante et enfumée à l'étage.

♦♦ **Hacı Abdullah** 35, Sakız Ağacı Cad., 17 **C2** ☎(0212) 293.85.61. Une institution dont la qualité de la cuisine ottomane traditionnelle ne faiblit pas. La carte est relativement étoffée, mais ceux qui ne peuvent pas se passer d'alcool iront voir ailleurs.

♦♦ **Hacıbaba** 36, Istiklal Cad., 49 **C2** ☎(0212) 244.18.86. Une adresse où l'on mange des plats relativement originaux (40 variétés de *meze* et 25 desserts différents). L'ambiance fait un peu hall de gare et l'attente peut être longue entre deux plats.

♦♦ **Karaköy Balık Lokantasi** 37, Kardeşim Sok., 30 **B3** ☎(0212) 251.13.71. *F. le sam. soir et le dim.* Tout près du marché aux poissons, un petit restaurant sympathique qui se cache derrière le bazar de Galata, véritable paradis des bricoleurs. Pas d'alcool.

♦♦ **Yakup 2** 38, Asmalı Mesçit Sok., 35 **C2** ☎(0212) 249.29.25. Grande salle décorée de photos et d'affiches dans laquelle on dégustera tous les grands classiques de la cuisine turque. Bon accueil et une addition sachant rester sage.

♦ **Hala** 39, Çukurlu Sok., 26 **C2** ☎(0212) 293.75.31. Ambiance orientale pour déguster des *mantı* (raviolis turcs), entre autres plats traditionnels. Le pain *pide* est fabriqué sous vos yeux.

Aussi, les restaurants de **Çiçek Pasajı C2** (Kimene) qui ouvre sur Istiklal Cad. Les terrasses se touchent et les violoneux passent de table en table. L'endroit, bruyant à souhait, peut séduire. En empruntant le passage aux Fleurs juste à côté, puis à dr., vous arriverez dans **Nevizade Sok.**, une étroite rue connue pour ses *meyhanes*. Passez les haies de serveurs qui alpaguent les passants jusqu'à atteindre l'extrémité de la petite rue, où se trouvent les plus cotées d'entre elles, **Hasırlı** [au 21 ☎(0212) 244.39.42] et, pour dîner sans musique, **Imroz** [au 24 ☎(0212) 249.90.73].

Pour un dîner plus *smart*, allez prospecter du côté de la **Sofyalı Sok. C2**, en face de la station supérieure du Tünel.

Rives du Bosphore

Hôtels

▲▲▲▲ **Çırağan Palace Kempinski** 40, Çırağan Sarayı Cad., 84 **E1**, à Beşiktaş (rive européenne) ☎(0212) 326.46.46, fax (0212) 259.66.87, www.ciragan-palace.com. Dans le palais d'Abdülaziz (hors de prix) ou dans l'annexe moderne. Vue imprenable et inoubliable sur le Bosphore depuis le balcon des chambres. Un luxe inouï et du *high-tech* dernier cri, suite à une restauration récente. *295 ch. et 7 suites.*

▲▲▲▲ **Les Ottomans** 41, Mualin Naci Cad., 168, Muhsinzade Yalisi, Kuruçesme **hors pl. par E1** ☎ (0212) 287.10.24, fax (0212) 287.60.61, www.lesottomans.com. Le yalı ressuscité du grand vizir Muhsinzade Mehmet Paşa, au bord de l'eau, est devenu l'hôtel le plus cher d'Istanbul. Pour pacha milliardaire (transfert de l'aéroport en yacht, guide privé, etc.) ou amoureux en lune de miel. Restaurant gastronomique. *12 suites ottomanes.*

▲▲▲ **Villa Blanche** 42, Gazeteciler Sitesi, Keskin Kalem Sok., 7, Esentepe-Gayrettepe **hors pl. par C1** ☎ (0212) 216.37.19, fax (0212) 216.37.18, www.hotelvillablanche.com. Une villa de charme au milieu d'un grand parc. Métro (station Gayrettepe) à 200 m pour rejoindre le centre. Une solution originale, idéale pour fuir l'agitation de la ville. Bon restaurant. Piscine. *40 ch. et appartements.*

◗ Restaurants

♦♦♦ **Bebek Balıkçı** 43, Cavdet Paşa Cad., 123, à Bebek (rive européenne) **hors pl. par E1** ☎ (0212) 263.34.47. Certainement le plus recommandable des restaurants de poissons de Bebek. Délicieuses croquettes. *Rés. recommandée en fin de semaine.*

♦♦♦ **Körfez** 44, Kani Körfez Cad. **hors pl. par E1**, 78, à Kanlıca (rive asiatique) ☎ (0216) 413.43.14. Une vue d'anthologie dans l'un des meilleurs restaurants de poissons du Bosphore, mais la note est douloureuse (demandez les prix avant de commander). Ne partez pas sans avoir goûté au yoghourt, la grande spécialité de Kanlıca. *Rés. recommandée particulièrement les soirs de w.-e.*

♦♦♦ **Lacivert** 45, Körfez Cad. **hors pl. par E1**, 57, à Kanlıca (rive asiatique) ☎ (0216) 413.42.24. Au bord de l'eau avec une vue imprenable sur le Bosphore, un établissement chic spécialisé dans une cuisine méditerranéenne de haute volée. Plats de poissons variables selon les saisons.

♦♦ **Garaj** 46, Kefeliköy Cad., 30, à Tarabya (rive européenne) **hors pl. par E1** ☎ (0212) 262.04.74. L'un des nombreux restaurants à poissons du quartier de Tarabya dont le principal atout est sa vue sur le Bosphore.

♦♦ **Hanedan** 47, Barbaros Meydanı Çiğdem, 27 **D1**, à Beşiktaş (rive européenne) ☎ (0212) 260.48.54. Toutes sortes de poissons, mais aussi quelques viandes dans l'un des meilleurs restos du quartier de Beşiktaş. L'occasion de faire une pause gourmande après la visite du palais de Dolmabahçe.

♦♦ **Marina Balık Restaurant** 48, Vapur Iskelesi **hors pl. par E1**, à Kurukçesme (rive européenne) ☎ (0212) 287.26.53. Près de l'embarcadère, un restaurant de poissons au bord de l'eau qui attire beaucoup de monde en fin de semaine.

♦♦ **Tarihi Ali Baba** 49, Kireçburnu Cad., 20 **hors pl. par E1**, à Sariyer (rive européenne) ☎ (0212) 262.08.89. Une valeur sûre (restaurant fondé en 1923 par le barbier Ali), des prix corrects et une magnifique terrasse-jardin au bord de l'eau.

♦ **Kanaat** 50, Selmani Pak Cad., 25 **E3**, à Üsküdar (rive asiatique) ☎ (0216) 341.54.44. Une adresse sûre pour déjeuner sans se ruiner, tout près du marché.

Autres restaurants, avec terrasse, sur les rives du Bosphore : côté européen, vous en trouverez à Beşiktaş **D1/E1**, Arnavutköy, Bebek, Yeniköy et Rumeli Kavağı ; côté asiatique, à Anadolu Hisarı et Anadolu Kavağı.

Les restaurants et bars d'**Ortaköy**, fréquentés par une clientèle aisée, sont chers. Faites comme tout le monde, allez dans l'un des kiosques de la rue au nord de la mosquée (Köprübaşı Sok. **E1**) et commandez un *kumpir* (patate cuite au four farcie aux légumes), que vous assaisonnerez à votre convenance.

Cafés

Café Şark ♥, Fesçiler Cad. (dans le Grand Bazar) **G6**. *F. à 19 h.* Le grand café du bazar avec une ambiance tout à fait inimitable. Toujours enfumé, il vaut le coup d'œil.

Çorlulu Ali Paşa Medresesi, Yeniçeriler Cad., 3 (complexe de Çorlulu Ali Paşa, près de l'Atik Ali Paşa Camii) **G6**. *F. à minuit.* Un petit café installé dans une *medrese* du XVIIIe s. où l'on sirote un thé au frais tout en fumant le narghilé. Pas un Turc, mais pittoresque.

Orient Bar ♥, le bar de l'hôtel *Pera Palas* *(p. 146)* **C2**. À voir absolument dès sa réouverture (fin 2008), pour son ambiance fin de siècle et pour marcher sur les traces d'Hemingway, de Tito, de Julio Iglesias ou de Mata Hari.

La **place de l'Université F5** est un excellent endroit pour prendre la température de la ville tout en sirotant un petit verre de thé.

Pensez aussi au café du complexe de la Süleymaniye *(p. 87)* **F5** (**Ikram Bahçesi**, près du restaurant *Dârüzziyâfe*), à celui du **musée des Arts turcs et islamiques G6** *(p. 77)*, ainsi qu'à l'adorable **café en plein air à côté des musées archéologiques C4** *(p. 61)*.

Le **Fransik Sokağı C2** (« passage des Français »), est un petit bout de France égaré derrière le lycée de Galatasaray. La ruelle en escalier (Cezayir Sok.) est tout entière bordée de bars, de restaurants, d'instituts de beauté et autres boutiques de produits français.

Salons de thé

Burç, Istiklal Cad., 463-465 **C2**. *F. à 21 h.* Dans un minuscule salon de thé (quelques tables seulement), dégustation de pâtisseries orientales toutes plus alléchantes les unes que les autres.

Çiğdem Pastanesi, Divan Yolu, 62 **G6**. *F. à 20 h.* Grand choix de pâtisseries pour une pause douceur lors de votre visite du cœur de la ville historique.

Inci, Istiklal Cad., 122-124 **C2**. *F. à 20 h.* Des profiteroles assez déroutantes dans cette pâtisserie lilliputienne. Il faut attendre qu'une place se libère.

Pâtisserie Markiz, Istiklal Cad., 360 **C2**. Excellents gâteaux et macarons à déguster dans une salle Art déco entièrement restaurée, avec vitraux et faïences. On en profitera pour découvrir la galerie attenante, l'ancienne Orientale, devenue un havre de luxe *high-tech*.

Pavillon d'Ihlamur ♥, Ihlamur Teşvikiye Cad. **D1**. *F. lun., jeu. et le soir.* Les quatre

Cafés chichas

Fumer un narguilé tout en jouant aux échecs ou au tric-trac est devenu très à la mode depuis quelques années, notamment auprès des jeunes. On trouve des fumeries un peu partout dans la ville, principalement du côté du **Grand Bazar G6**, sous le **pont de Galata G5**, dans le passage en face de la station supérieure du **Tünel C3** et près de la **Nusretiye Camii C3**, sans doute le meilleur endroit. En général, différents tabacs aromatisés sont proposés. ●

petites pièces du plus grand des deux bâtiments formant le pavillon des Tilleuls (Ihlamur), œuvre rococo de Nikoğos Balyan, accueillent un merveilleux salon de thé. Inoubliable et très *smart*.

Saray Muhallebicisi, Istiklal Cad., 102-104 **C2**. Depuis sa fondation en 1935, la grande pâtisserie de l'Istiklal Cad. plonge le gourmand dans des abîmes de perplexité. L'entreprise familiale de l'actuel maire d'Istanbul compte plusieurs succursales dans la ville.

Ceux qui souhaitent rencontrer la jeunesse dorée d'Istanbul iront aussi au **Café Marmara** de l'hôtel du même nom (Taksim Meydanı **C2**) et au **Café Bellini** du *Çirağan Palace* **E1** *(p. 125)*.

Pour jouer au sultan décadent, en dehors du pavillon d'Ihlamur, pensez aux kiosques du parc de **Yıldız E1** ou d'**Emirgan hors pl. par E1** *(p. 138)*... pris d'assaut dès l'arrivée des beaux jours !

Vie nocturne

Le *gazino*, ou cabaret, est à éviter. Il y a les établissements pour touristes, frelatés, sans risque et sans intérêt, inscrits dans les séjours organisés, avec danse du ventre et photo-souvenir. Ils sont en général assez chers et se rencontrent vers l'hôtel *Hilton*, le long de **Cumhuriyet Cad. C1/C2**. Et il y a les autres, qui rappellent les cabarets de Pigalle, en pire. À moins d'être accompagné par quelqu'un d'averti, vous en sortirez dépouillé par les *konsomatris*, ces entraîneuses qui poussent à la consommation d'alcool vendu à un prix prohibitif en échange de vagues promesses sexuelles.

Pour faire la fête à Istanbul, évitez la ville historique, seulement hantée par les touristes, et allez plutôt à Beyoğlu, entre Taksim et Galatasaray **C2**, épicentre de la nuit stambouliote, où les bars et clubs se comptent par milliers et où la nuit est sans fin. L'été, l'animation s'étend sur les rives du Bosphore, notamment à Ortaköy **hors pl. par E1**, côté européen. *Voir également p. 26 et 116.*

Anjelique, Salhane Sok., 10, à Ortaköy **hors pl. par E1**. Au bord du Bosphore, restaurant *design* hors de prix se transformant en bar branché. *Ouv. jusqu'à 4 h.*

Babylon, Seybender Sok., 3 **C2**, www.babylon.com.tr. Un centre pluriculturel, haut lieu de la scène stambouliote, où se produisent les artistes les plus intéressants du moment, turcs ou étrangers.

Balans, Balo Sok., 22 **C2**, www.balansmusichall.com. Salle de spectacle de renom près du carrefour de Galatasaray.

Gramofon, Tünel Meydanı, 3 **C3**. Café sympa pour écouter de l'électro le soir ou des musiques plus douces en journée (jazz ou classique). Bon expresso, chose rare à Istanbul.

Lalia, Muallim Naci Cad., 54, à Ortaköy **E1**. Ultrachic : en débarquant en yacht comme tout le monde, vous serez accueilli avec égards par les videurs. *Ouv. en été seulement.*

Nardis Jazz Club, Kuledibi Sok., 14 **C3**, www.nardisjazz.com. Le meilleur club de jazz de la ville, avec des concerts tous les soirs. Dans le bas de Beyoğlu.

Roxy, Siraselviler Cad. Aslan Yatağı Sok., 1 **C2**. Pour écouter du rock en buvant du *Sex on the Beach* à la bouteille.

Vogue, Spor Cad., 92, BJK Plaza A Blok 13, Akeretler, Beşiktaş **D1**. Le bar-restaurant de la terrasse de l'hôtel *Beşiktaş Plaza* vaut un passage pour ses cocktails et ses jeudis très animés.

Hammams

Dans le centre historique, ils sont plutôt chers et attirent un grand nombre de touristes. Les hammams de quartier sont plus authentiques, mais ils peuvent déconcerter (propreté, codes gestuels, etc.). Après déshabillage en cabine, vous entrez dans l'étuve pour transpirer près du banc central chauffé en permanence. Vous passez ensuite entre les mains du masseur, qui vous frotte le corps au gant de crin sans ménagement, puis de nouveau dans l'étuve et enfin dans une salle froide. Vous ressortez de là complètement hagard et cotonneux, avec un épiderme tout neuf.

Cağaloğlu Hamamı ♥, Prof. Kazim Gürkan Cad., 34 **G6**. *Ouv. t.l.j. 7h-21h30 pour les hommes, 8h-20h pour les femmes.* Le plus beau… et le plus cher. Il ne désemplit pas depuis 1741, date de sa fondation. Avec café également.

Çemberlitaş Hamamı, Vezirhan Cad., 8 **G6**. *Ouv. t.l.j. 6h-minuit.* Son origine remonte à la fin du XVIe s. Cher et très touristique.

Galatasaray Hamamı, Turnacıbaşı Sok. **C2**. *Ouv. t.l.j. 6h30-23h pour les hommes, 8h-21h pour les femmes.* Hammam du XVIIIe s. situé près du lycée de Galatasaray.

Süleymaniye Hamamı, Mimar Sinan Cad., 20. **F5**. *Ouv. t.l.j. 7h-minuit.* L'un des derniers nés, un hammam historique du complexe de la mosquée de Soliman, œuvre de Sinan.

Shopping

Antiquités

Commencez par chiner dans les boutiques du cœur du Grand Bazar (Iç Bedesten) **G6**. Pensez aussi aux passages de part et d'autre de Istiklal Cad., à commencer par l'**Avrupa Pasajı C2**. D'autres adresses :

Çukurcuma ♥, Çukurcuma Cad. et alentour, en contrebas du lycée de Galatasaray **C2**. Un quartier d'antiquaires regroupant des boutiques d'intérêt inégal, où vous trouverez des meubles, de la vaisselle ancienne et toutes sortes d'objets des années 1900. Si vous aimez chiner, la visite peut prendre tout l'après-midi ; l'atmosphère du quartier vaut le détour.

Tünel Pasajı C2. Plusieurs boutiques d'antiquités, de cartes postales et de gravures anciennes, mais aussi l'occasion de découvrir ce passage, en face de la station supérieure du Tünel, devenu branché au fil du temps.

Artisanat

Celebi, Cevahir Bedesten 92/93, au Grand Bazar **G6**. L'une des rares boutiques du bazar spécialisée dans les pipes en écume de mer. Tête sculptée ou lisse, vous avez le choix.

Gördes, Koloncular Cad., 20 (dans le Grand Bazar **G6**). Beaux choix de céramiques de Kütahya.

Kirk Ambar, Kabasakal Cad., 13 **C4**. À deux pas de l'hôtel *Yeşil Ev*, un bel échantillon de l'artisanat turc : des porcelaines, des cuivres, des céramiques de Kütahya, des objets en étain, et même des marionnettes du théâtre d'ombres (Karagöz).

Kültür Ürünlerı Satiş Mağazasi, Şeyhulislam Hayri Efendi, 2 **F5**. Une luxueuse boutique placée sous l'égide du ministère de la Culture, qui propose de très beaux tapis et *kilims*, de magnifiques objets en faïence ou en cuivre, ainsi que des beaux livres.

Mayis Çini ♥, Istiklal Cad., 399 **C2**. Petite boutique qui regorge de céramiques d'Iznik et de Kütahya. Artisanat traditionnel garanti, ce qui n'est pas le cas au Grand Bazar.

Livres, disques et films

Concernant les livres d'art, les gravures et les estampes, fouinez du côté du marché aux livres **G6** (**Sahaşar Çarşısı ♥**), entre l'université et le Grand Bazar, et arpentez l'**Istiklal Cad. C2** en commençant par la station supérieure du Tünel **C3**. Le long de l'Istiklal Cad., ainsi que dans la **Galip Dede Cad. C3**, vous trouverez de nombreux magasins pour acheter des CD de musique turque, des VHS ou des DVD, que vous soyez adepte de films dits « sérieux » ou de « nanars » réjouissants et forcément cultes (*Tarkan contre les Vikings*, *Turkish Star Trek* ou le non moins improbable *Turkish Star Wars*, etc.).

Trois adresses plus particulièrement intéressantes :

Denizler, Istiklal Cad., 375 **C2**. Comme son nom l'indique (*deniz* signifie « mer » en turc), une librairie spécialisée dans l'univers maritime. Livres sur la marine turque et très belles gravures.

Istanbul Kitapçısı, Istiklal Cad., 375 **C2**. Une adresse institutionnelle où les amoureux d'Istanbul trouveront à coup sûr leur bonheur : livres abordant des sujets très pointus, disques de musique traditionnelle, plans, etc.

Robinson Crusoé, Istiklal Cad., 389 **C2**. Très belle librairie entièrement en bois proposant des livres français.

Bijoux

Le plus grand choix est offert au **Grand Bazar G6**. Gardez en mémoire que l'or fait souvent moins de 18 carats. Le prix se négocie au poids et le marchandage est de règle. Vous pouvez aussi tenter votre chance à **Üsküdar D3/E3** (marchandage plus aisé et bijoux de qualité strictement équivalente dans l'avenue en

Shopping
Où acheter ?

• **Le Grand Bazar G6.** Vous devriez y trouver votre bonheur. En dehors des bijoux, le Grand Bazar est un bon endroit pour faire ses emplettes de vêtements (chemises, tee-shirts, jeans, cuir, etc.) ou de souvenirs (échiquiers, jeux de tric-trac, pipes en écume de mer, objets en cuivre ou en onyx, reproductions d'icônes, céramiques, etc.) fabriqués de manière artisanale ou prétendue artisanale.

• **Du Grand Bazar à la place d'Aksaray G6/F6.** Boutiques de vêtements et déballages en plein air débordant de chemises, de chaussettes et de pantalons bon marché abondent le long d'Ordu Cad. et des rues perpendiculaires. Vous trouverez ici une ambiance échevelée vraiment extraordinaire. Quant à acheter, c'est une autre affaire...

• **Du Grand Bazar au Bazar égyptien G6/G5.** Les « magasins », qui ressemblent plus à des étals, s'adressent presque exclusivement aux Stambouliotes. On y trouve de tout, des vêtements bon marché, des jeans pour trois fois rien, des bijoux de pacotille ou de qualité, des ustensiles de cuisine, de la laine et du tissu en gros.

• **Le Bazar égyptien G5.** C'était à l'origine un marché strictement alimentaire. C'est l'endroit idéal pour acheter des épices, du thé, des loukoums, de la charcuterie, du henné, de l'essence de rose et, si le cœur vous en dit, des aphrodisiaques (chez Filibe, au n° 58, ou chez Antep Pazarı, au n° 50, par exemple).

• **Istiklal Cad. C2, Nişantaşi C1** et **Bağdat Cad. hors pl. par E4.** Ces trois pôles de shopping sont beaucoup moins dépaysants. Ils abritent des boutiques luxueuses à l'occidentale, les grands noms du prêt-à-porter turc ainsi que les antiquaires et les galeristes. Les bijoux et les vêtements que vous trouverez ici n'ont rien à voir avec ceux de la vieille ville et ils coûtent évidemment bien plus cher. Allez fouiner dans les passages ouvrant sur Istiklal Cad. Il est impossible de marchander, mais pendant la période des soldes (janv.-fév. et juil.-août), les prix sont cassés. •

face du débarcadère). Si vous souhaitez privilégier l'exceptionnel, en payant plus cher bien sûr, allez à l'**Iç Bedesten** (cœur du Grand Bazar **G6**), dans **Istiklal Cad. C2**, dans les galeries de l'**hôtel *Hilton* C1**, ou à **Nişantaşı C1** (Rumeli, Valikonağı et Halaskargazı Cad.).

Buji San, Subun Hanesi Sok., 33 **G5**. Derrière le Bazar égyptien, des bijoux fantaisie pas spécialement discrets, mais toujours étonnants.

Eller Galeri, Postacilar Sok. (perpendiculaire à Istiklal Cad.) **C2**. Pour ses gravures et ses reproductions de bijoux hittites.

Gôksel, Marpuççular Cad., 31 **G5**. Près du Bazar égyptien, des bijoux fantaisie à des prix imbattables.

Urart Galeri, Abdi Ipekçi Cad., 18, à Şişli **C1/D1**. Des reproductions superbes de bijoux d'Ourartou. Succursale au grand magasin Vakko *(p. 154)*. Hors de prix mais que tout cela est tentant !

Centres commerciaux

Ils regroupent tous les grands noms de la confection turque *(ouv. t.l.j. 10 h-22 h)*.

Akmerkez, Nispetiye Cad., à Etiler (rive européenne) **hors pl. par E1**. Le plus grand centre commercial de la ville. Pharaonique, avec les succursales des meilleures marques turques.

Vakko, Istiklal Cad., 123 **C2**. Le premier grand magasin de Turquie, qui dessine et fabrique ses propres tissus. Très beau rayon décoration. Renommé pour ses vêtements masculins *(voir « Vêtements »)*.

Alimentation

En dehors des simples marchés de quartier, le meilleur endroit pour acheter des épices, du miel, de la charcuterie, du caviar iranien ou des fruits secs est le **Bazar égyptien G5**. Quelques adresses :

Ayfer Kaur, beau choix d'épices au n° 7 de l'allée, entrée Corne d'Or. On y parle français et l'accueil est sympathique. **Güzel**, une boutique parmi d'autres dans le Bazar égyptien (l'allée ouvrant sur la Corne d'Or) pour acheter du miel.

Kurukahveci Mehmet Efendi, Tahmis Cad., 66. Depuis 1871, l'institution du café à Istanbul, en face d'une entrée du Bazar égyptien. N'en oubliez pas pour autant d'admirer la boutique, de style Art déco.

Ucuzcular, au n° 51 de l'allée principale. Le plus grand choix d'épices, mais aussi de produits cosmétiques. La plus ancienne droguerie du bazar.

Uygun Kimya, au n° 49 de l'allée centrale. Choix très vaste d'épices.

Vous trouverez également des épiceries (fromages, miel, thé, épices, etc.) dans le quartier de **Fatih**, notamment Darüşşafaka Cad. **A3** et d'excellents miels dans **Itfaiye Cad. F5**. Au **Balık Pazarı C2**, on peut s'approvisionner en fruits secs, épices, confiture, charcuterie (Şütte, Bünsa, Üç Yıldız).

Tapis

Si vous êtes riche comme Crésus, allez faire un tour dans les boutiques clinquantes de **Nuruosmaniye Cad. G6** qui conduit au Grand Bazar. Jetez aussi un coup d'œil aux boutiques du **Sultanahmet Arasta Bazar** ou à celles situées dans les rues derrière la mosquée Bleue **C4** : attendez-vous ici à des prix prohibitifs et à subir le harcèlement des vendeurs. Autres boutiques de tapis le long de **Divan Yolu C4/G6**, sans oublier, bien sûr, toutes celles du **Grand Bazar G6**. Mais ici encore, armez-vous de patience, les transactions promettent d'être âpres.

Babıali Çarşısı, Babıali Cad., 18 **G6**. Un centre dédié au tapis sous toutes ses formes et sur trois étages. Une bonne adresse pour trouver la pièce de vos rêves à prix relativement doux (allez en priorité voir les boutiques Anadol et Can Halı).

Hazal, Mecidiye Köprüsü Sok., 27-29, à Ortaköy **E1**. Une belle collection de *kilims* anatoliens anciens et semi-anciens, présentés avec l'art et la manière.

Punto, Gazi Sinanpaşa Vezirhan, 17 **G6**. Spécialité : les tapis neufs ou anciens hors formats dans cette boutique située dans une petite rue parallèle à Nuruosmaniye Cad.

shopping Loukoums

Deux adresses hors Bazar égyptien :

Hacı Bekir, Hamidiye Cad., 81-83 **G5**. D'excellents loukoums qui passent pour les meilleurs de la place. Grand choix en tout cas, demandez à goûter si vous n'arrivez pas à vous décider. Succursale dans Istiklal Cad., 129 **C2**.

Koska, Yeniçeriler Cad., 81 **G6**. La « chaîne » du loukoum et un choix à tomber à la renverse. Goûtez les loukoums aux noisettes et aux pistaches, ce sont les meilleurs. Vous trouverez aussi du *helva*, du miel et des massepains toujours de la plus grande fraîcheur. ●

Cuir et vêtements

Le cuir turc possède ses grands noms, comme **Derimod**, **Hotiç** ou encore **Deri Show**. Les maroquiniers les plus prestigieux sont représentés à **Zeytinburnu hors pl. par A4**, ancien quartier des tanneries, dans les centres commerciaux et les grands magasins, ainsi que dans les quartiers de shopping huppé (**Nişantaşı** par exemple **C1/D1** ; **Bağdat Cad. hors pl. par E4** côté asiatique). Du côté de la ville historique, vous trouverez des choses plus abordables au **Grand Bazar G6**, le long du **Divan Yolu G6** (chaussures) et, si vous parlez le russe ou le turc, dans les échoppes de grossistes de **Laleli F6** et d'**Aksaray A4**.

B.B., Ganı Çelebi Sok., 4 **G6**. Une bonne adresse du Grand Bazar pour acheter des vêtements et du cuir. Fait du sur-mesure en des délais très courts.

Beymen, Abdi Ipekçi Cad., 23. **C1/D1**. L'adresse institutionnelle pour des vêtements bon chic bon genre pour hommes ou pour femmes. Plusieurs succursales.

Deri Show, Akkavak Sok., 18, à Nişantaşı **D1**. Pour madame, du cuir original et des vêtements branchés. Ligne dessinée par de talentueux stylistes turcs.

Desa, Istiklal Cad., 140 **C2**. La chaîne du cuir de qualité. Autres adresses à Nişantaşı (Halaskargazı Cad., 216 **C1**) et à Taksim (Istiklal Cad., 140 **C2**).

Hotiç, Teşvikiye Cad., 135-1, à Nişantaşı **D1**. Un très large éventail de chaussures. Prisé par les jeunes chics et branchés.

Ipek, Istiklal Cad., 230 **C2**. Un choix proprement fabuleux de foulards en soie et en coton.

Oxxo, Istiklal Cad., 146 **C2**. Les étudiantes stambouliotes raffolent de cette boutique qui propose des pulls, tee-shirts et cardigans à prix doux.

Seyit Ağa Oğulları, Tavukhane Sok., 30 **G6**. Un grand choix de chaussures, bottes, sacs et une foule d'autres objets réalisés en *kilim*. Original et abordable.

À voir également, les passages ouvrant sur le côté g. (en venant de Sainte-Sophie) de **Yeniçeriler Cad. G6** et surtout d'**Ordu Cad. F6**, ainsi que les nombreux **passages d'Istiklal Cad. C2**. ●

repères

▲ La Turquie moderne est née en 1922, lorsque Mustafa Kemal dit Atatürk abolit le sultanat et entreprend une série de réformes qui arriment le pays à l'Europe. Aujourd'hui, le pays se cherche, entre islamisme modéré et tentation nationaliste.

◄ *Pages précédentes :* les chatoyantes faïences d'Iznik, avec leurs représentations florales symbolisant le paradis coranique, ornent l'intérieur des mosquées des XVIe et XVIIe s. Elles décorent aussi le mur d'entrée de la salle de prière, comme une invitation à observer l'un des cinq piliers de l'Islam.

repères

Les grandes dates de l'histoire

|| L'Empire byzantin

• **v. - 657**. Suivant les conseils de l'oracle de Delphes, Byzas, légendaire marin grec de Mégare, traverse la mer Égée, l'Hellespont (Dardanelles), puis la Propontide (mer de Marmara). Il débarque à la pointe du continent européen et fonde Byzance, qui prendra le nom de Byzantion.

• **324**. Constantin, premier empereur converti au christianisme, élève la cité au rang de capitale de l'empire romain d'Orient.

• **330**. Avec l'inauguration de la « Nouvelle Rome » *(p. 170)*, la ville prend le nom de son créateur : Constantinopolis (littéralement, la *ville de Constantin*). À cette date, la nouvelle muraille englobe une ville cinq fois plus étendue que l'ancienne Byzantion.

• **364-450**. Les successeurs de Constantin embellissent la cité : Valens (364-378) achève l'aqueduc *(p. 95)* qui porte son nom ; Théodose Ier (379-395) ramène d'Égypte l'obélisque qui orne la place de l'Hippodrome *(p. 77)* ; Théodose II (408-450) dresse de nouvelles murailles terrestres et maritimes *(p. 104)* destinées à contrer les assauts des Barbares.

• **476**. Avec la chute de Rome, Constantinople devient l'unique capitale d'un empire que l'histoire appellera l'Empire byzantin.

Première apogée

• **527-565**. Le règne de Justinien débute mal : menaces aux frontières, luttes de factions, guerres civiles… L'empereur assoit son autorité et restaure l'empire, qui s'étend vers 565 des Alpes à l'Asie Mineure et des rives de la mer Noire au détroit de Gibraltar et à l'Andalousie, en passant par la vallée du Nil. L'achèvement de Sainte-Sophie *(p. 69)*, en 537, incarne l'apogée de la puissance byzantine.

Le temps des crises

• **626-717**. Les Avars, originaires de Tartarie, sont au pied des murailles en 626 ; les Arabes assiègent la ville à plusieurs reprises entre 674 et 717. À chaque fois, la cité est sauvée par sa muraille et par la supériorité de son armée. Contre les Omeyyades, les Byzantins mettent au point le feu grégeois, un mélange de soufre, de poix et de salpêtre qui sème un vent de panique parmi la flotte ennemie.

• **717-843**. La querelle des Iconoclastes secoue l'Empire byzantin : partisans et opposants au culte des images – empereurs et moines – se dressent les uns contre les autres. Cette période de crise s'accompagne d'un arrêt brutal des constructions et de la destruction complète des œuvres d'art figuratives, à commencer par les mosaïques. Elle s'achève par la victoire des iconodoules, les adorateurs d'images.

Dans le monde

476 : Rome conquise par les Barbares.

622 : fuite du prophète Mahomet à Médine (hégire).

Derniers feux et agonie

• **867**. Basile Ier (867-886) fonde la dynastie macédonienne (867-1057), qui s'attelle à la reconquête d'un empire désormais circonscrit à l'Asie Mineure, à la Grèce et à la Calabre.

• **1025**. À la mort de Basile II (976-1025), les territoires de la rive sud du Danube, de la Bulgarie à l'Adriatique à l'exception de la Serbie, sont de nouveau soumis, tout comme la Crète et l'extrémité de la péninsule italienne. Constantinople renoue avec la période faste qu'elle avait connue sous Justinien.

1054: rupture officielle entre les Églises latine et grecque.

• **1071**. Les Turcs seldjoukides battent à plate couture les troupes byzantines à Mantzikert, près du lac de Van. Faute de pouvoir recruter des soldats en nombre suffisant, les souverains de la nouvelle dynastie des Comnène (1081-1185) resserrent les liens distendus avec l'Occident. Ils utilisent les croisades pour reconquérir les places perdues. Par gratitude, les empereurs accordent des avantages commerciaux aux puissances latines.

• **1171**. Les marchands vénitiens, soulevant la jalousie parce qu'exemptés de taxes, sont chassés de la ville.

• **1182**. Un grand massacre ensanglante le quartier de Galata, habité en majorité par les Italiens. D'alliée, Venise devient une ennemie irréductible. Le doge encourage les hommes de la quatrième croisade à se détourner de leur route pour attaquer Constantinople.

Les Osmanlı

On sait peu de choses sur la tribu turque des Osmanlı, si ce n'est qu'elle est originaire d'Asie centrale et de confession sunnite. Une légende la fait arriver au XIIIe s., au temps de la domination des Seldjoukides. Les premiers Ottomans auraient ensuite profité de la faiblesse croissante du sultan de Konya pour affermir leur pouvoir dans la province de Bythinie, au nord-ouest de l'Asie Mineure.

En 1290, le fondateur, Osman, hérite de son père, Erdogul, d'un sultanat puissant et respecté de ses voisins. Il assoit d'abord l'influence de la tribu avant de défaire les Byzantins en 1302 près de Nicomédie (Izmit). Son successeur Orkhan (1326-1362) s'empare de Brousse (l'actuelle Bursa), l'un des bastions byzantins en Asie Mineure. Il en fait sa capitale et le lieu saint de la dynastie des Osmanlı, y enterrant la dépouille d'Osman. Peu après, celui qui se fait appeler « le Sultan des conquêtes » et « le Combat-

L'occupation des croisés

• **1204**. La riche Constantinople est pillée et incendiée ; sa population massacrée et convertie de force à l'orthodoxie romaine. Tout ce qui peut être emporté – orfèvrerie, ivoires, manuscrits enluminés et icônes – est pillé ou détruit en même temps que les monastères et les mosaïques, jugées hérétiques. Le pouvoir byzantin se replie à Nicée (actuelle Iznik).

Luttes et résistances

• **1261**. L'empereur Michel VIII Paléologue chasse les Latins et reprend Constantinople avec le soutien des Génois, heureux de nuire à leurs rivaux commerciaux vénitiens. La cité à moitié en ruine, vidée de ses habitants, est repeuplée et relevée par les empereurs de la dynastie des Paléologue. Empêtrés dans des guerres civiles perpétuelles, ceux-ci tentent d'enrayer le déclin de l'empire, mais se heurtent aux luttes d'influence entre Génois et Vénitiens, qui détiennent les leviers de l'économie.

1255-1260: les Mongols envahissent la Russie, la Syrie, et arrivent devant Vienne.

• **1362**. Les Ottomans posent pied en Europe. Ils s'emparent des Balkans et entament l'encerclement de Constantinople.

• **1396**. Le sultan Beyazıt Ier ferme l'accès à la mer Noire en construisant la citadelle d'Anadolu Hisarı *(p. 138)*, sur le Bosphore. La population, consciente du danger, s'enfuit massivement.

tant de la foi» prend deux autres villes importantes aux Grecs : Nicée (Iznik), l'ancienne capitale du temps de la domination latine, et l'opulente Nicomédie.

Le règne de Murat Ier (1362-1389) est celui de l'expansion européenne. Le sultan installe la capitale à Andrinople (Edirne). Vainqueur des Serbes, il se rend maître des Balkans avec la bataille de Kosovo (1389), tandis que son grand vizir défait la résistance bulgare. Les Byzantins sont cernés. Ils ont beau se déclarer vassaux des Ottomans et faire entrer des princesses chrétiennes dans les harems, la fin de l'empire semble toute proche.

Le destin tragique de Beyazıt Ier (1389-1402), défait par Tamerlan à Ankara puis mort en captivité, et la crise dynastique qui s'ensuivra, donneront un demi-siècle de répit aux souverains de la dynastie byzantine des Paléologue. •

• **1402**. Appelée d'urgence pour contrer l'avance du Turco-Mongol Tamerlan, l'armée de Beyazıt Ier, est écrasée à Ankara. Le sultan meurt en captivité. Constantinople se croit sauvée, mais la puissance ottomane se reconstitue vite. Dès le début de son règne, Murat II (1421-1451) frappe aux portes de la ville.

L'Empire ottoman

La chute de Constantinople

• **1453**. Le 5 avril, le sultan Mehmet II (1451-1481), après avoir verrouillé le Bosphore en dressant le château de Rumeli *(p. 138)* en face de celui d'Anadolu Hisarı, commence le siège de la cité. L'assaut final est déclenché dans la nuit du 28 mai : le corps des janissaires *(p. 36)* entre par la porte d'Andrinople (Edirnekapı) et investit facilement la ville. Selon la légende, les soldats, étonnés de son état de délabrement, demandent aux assiégés où ils se trouvent. Les Grecs terrorisés leur répondent « *Eis tin polin* » ou « *Stin bolin* », ce qui signifie « Voici la ville ». Ces quelques mots seraient à l'origine du futur nom de Constantinople : Istanbul.

L'ère des Grands Seigneurs (xve-xvie s.)

• **1458**. La ville est promue capitale de l'Empire ottoman. Elle se couvre bientôt de mosquées et se repeuple à toute vitesse. Des colons turcs, mais aussi grecs, juifs et

Soliman le Magnigique

Soliman le Magnifique, dit Kanuni (le Législateur), lutta toute sa vie contre le shah de Perse Tahmasp Ier (1532-1576) ainsi que l'empereur Charles Quint (1519-1556). Son long règne (1520-1566) fut marqué par treize campagnes militaires qui élevèrent l'Empire ottoman au rang de première puissance européenne du moment, même s'il ne parvint toutefois pas à réaliser son rêve : s'emparer de la Vienne des Habsbourg.

La puissance de Soliman repose sur une armée forte d'environ 30 000 fantassins et presque autant de cavaliers *(spahis)*. S'ajoutent les troupes des administrateurs des provinces et des contingents irréguliers mobilisables en cas de conflit. Le sultan adjoint à cette considérable force terrestre une marine rivalisant avec celle de l'Occident. Avec un seul objectif : devenir le maître de la Méditerranée. Grâce à elle et à son amiral corsaire

slaves, affluent de partout. Mehmet II établit sa résidence à l'emplacement de l'actuelle université, puis déménage pour le nouveau palais de Topkapı *(p. 53)*. Il crée le Grand Bazar *(p. 90)*, future plaque tournante du commerce en Orient.

1515-1547 et 1519-1555 : règnes de François Ier et de Charles Quint.

• **1520-1566**. Soliman le Magnifique *(ci-dessous)* poursuit la politique de conquête de ses prédécesseurs Beyazıt II (1482-1512) et Selim Ier (1512-1520). Istanbul devient la capitale d'un empire démesuré qui s'étend des rives de la mer Noire au Maroc et de l'Afrique du Nord au golfe Persique. Elle compte près de 600 000 habitants dans les années 1560.

La déliquescence

• **XVIIe-XVIIIe s.** Les Ottomans ne parviennent plus à administrer et à défendre un territoire trop grand et trop centralisé. Le corps des janissaires intervient de plus en plus souvent dans les affaires intérieures. L'armée se révolte et dépose les grands vizirs quand ils mènent une politique contraire à ses intérêts, voire les sultans eux-mêmes (Osman II en 1622 et Ahmet III en 1730). La corruption gagne tous les rouages de l'État hyper-hiérarchisé. La situation du commerce n'est guère plus brillante. Progressivement, les étrangers accaparent l'économie : aux Français, favorisés sous Soliman grâce à des accords passés avec François Ier, succèdent les Italiens et les Hollandais. Sur le plan militaire, le temps des conquêtes

1683 : l'Autriche devient une grande puissance.

Barberousse, Soliman s'empare d'Alger et de Tunis, puis mène des raids sur les côtes italiennes ou espagnoles.

Complexe, centralisé et comptant une pléthore de fonctionnaires, l'État ottoman ne connaît qu'un seul maître : le sultan. Le souverain détient le pouvoir religieux suprême : il nomme le Şeyhülislâm, le chef de l'islam, comme le patriarche orthodoxe. Pour administrer l'empire depuis son palais de Topkapı, il est assisté d'un grand vizir, révocable à tout moment (seulement 9 en 46 ans). Ce Premier ministre est secondé par le ministre de l'Intérieur et par un chancelier, qui s'occupe des affaires étrangères. En l'absence du souverain, il préside les réunions du Divan, auxquelles participent des fonctionnaires éminents comme les chefs de la marine et des janissaires, le garde des Sceaux ou encore le ministre des Finances. •

s'était déjà achevé sous Selim II (1566-1574), lorsque la flotte ottomane avait été en partie détruite à Lépante (1571) par une coalition étrangère menée par les Vénitiens. Aux XVIIe et XVIIIe s., les problèmes s'aggravent. Hormis des coups d'éclat sans lendemain comme le siège de Vienne en 1683, les Ottomans subissent de constants revers. Les sultans se heurtent à des puissances modernes qui relèvent la tête et à de nouveaux ennemis particulièrement dangereux, comme la Russie de la Grande Catherine.

| Des réformateurs tardifs

- **1789-1807**. Selim III entend moderniser l'État ottoman. Mais le peuple, hostile à l'Europe et à son influence, se révolte. Les janissaires profitent de la guerre civile pour déposer le souverain et annuler ses réformes.

- **1808-1839**. À la faveur d'une émeute, Mahmut II dissout le corps des janissaires *(p. 63)*. Les mains libres, le sultan remet l'État à l'heure du changement et entreprend sa laïcisation : interdiction des ordres religieux fanatiques, obligation de se vêtir à l'européenne, et création d'écoles publiques.

1828-1829 : guerre russo-turque.

1829 : traité d'Andrinople. La Russie obtient l'embouchure du Danube. La souveraineté de la Grèce est reconnue.

- **1839-1876**. Abdülmecit Ier (1839-1861) – surnommé ironiquement « le Grand Saigneur » par Anatole France – et Abdülaziz Ier (1861-1876) poursuivent les réformes, dites « des Tanzimat » (Réorganisation), qui culminent avec la promulgation de la Constitution libérale de 1876. La loi coranique est abolie. Tous les sujets de l'empire deviennent égaux en droits, quelles que soient leur religion et leur nationalité. L'enseignement laïc reçoit un nouvel encouragement avec la création de l'université de Constantinople (1862) et du lycée de Galatasaray (1868, *p. 116*). Parallèlement à ces réformes, l'Empire ottoman doit faire face à de nombreuses insurrections nationales soutenues par des puissances occidentales avides de se partager ses dépouilles. La Grèce, la Syrie, la Serbie, la Roumanie, une grande partie de la Bulgarie sont définitivement perdues. À la fin du XIXe s., les Ottomans ne détiennent plus en Europe que la Macédoine.

Les Jeunes-Turcs et la fin du sultanat

• **1876-1909**. Abdülhamit II hérite d'une situation désespérée. Les finances sont au plus bas et toute l'économie de l'empire est aux mains des Occidentaux. À Istanbul, l'Allemagne, la France ou la Grande-Bretagne prennent en charge la construction d'infrastructures modernes (électrification et construction de gares et de lignes de chemin de fer). Reclus sur les bords du Bosphore dans son palais de Yıldız, en proie à un délire paranoïaque insensé, Abdülhamit II (« l'homme malade », comme on le surnomme) cherche à contrer les réformateurs et à devenir le champion de l'islam. Il ravive le fanatisme religieux : en 1896, la Banque ottomane occupée par des Arméniens est le théâtre d'un gigantesque bain de sang.

• **1908-1909**. Devant l'autoritarisme d'Abdülhamit II, la révolution des Jeunes-Turcs éclate à Salonique le 24 juillet 1908. Les habitants de Constantinople l'accueillent avec enthousiasme. Le sultan rétablit la Constitution de 1876, mais tente de reprendre le contrôle de la situation dès 1909. En vain. Il est déposé et remplacé par son frère Mehmet V (1909-1918).

1908 : annexion de la Bosnie-Herzégovine par l'Autriche.

• **1914**. Face aux menaces précédant la Première Guerre mondiale, le gouvernement des Jeunes-Turcs choisit le camp allemand dès 1914. Il laisse le douloureux souvenir du génocide des Arméniens (1915-1917), accusés de collaborer avec l'ennemi russe.

1914 : début de la Première Guerre mondiale.

1915-1916 : bataille des Dardanelles.

• **1918**. Vaincu et contraint de signer l'armistice en octobre 1918, l'Empire ottoman est morcelé et mis sous contrôle anglais, français, italien et grec. Istanbul est occupée.

Mustafa Kemal et la fin d'une capitale

• **1919**. Exaspéré par l'attitude trop conciliante du gouvernement, Mustafa Kemal (1881-1938) dit Atatürk (« le père des Turcs »), déclenche la guerre d'Indépendance et contraint les Alliés à revoir les clauses humiliantes du traité de Sèvres.

• **1920**. Les forces étrangères évacuent Istanbul. La Grande Assemblée nationale, créée dans la semi-clandestinité à Ankara, devient le gouvernement officiel du pays.

Istanbul et la République turque

• **1922**. L'une des premières mesures du président Kemal est l'abolition du sultanat : Mehmet VI (1918-1922), le dernier des sultans, quitte la ville dans l'indifférence quasi générale.

1923 : traité de Lausanne. La Turquie souveraine en Asie Mineure et sur la Thrace occidentale.

• **1923**. Pour bien marquer la rupture avec l'époque ottomane, Atatürk élève Ankara au rang de capitale, ville moins turbulente et plus purement turque qu'Istanbul. La même année, le traité de Lausanne annule la création des États d'Arménie et du Kurdistan. Il rétablit la souveraineté turque sur les provinces de l'Égée. S'ensuit un douloureux échange de populations : 900 000 Grecs doivent quitter l'Anatolie ; 400 000 Turcs abandonnent la Grèce continentale et les îles égéennes.

• **1924-1928**. Déchue de son rang, l'ancienne capitale n'en demeure pas moins la principale actrice de l'histoire turque. Dans l'ensemble, la ville accueille favorablement la politique réformatrice et la nouvelle Constitution de 1924. L'adoption de l'alphabet latin, en 1928, est lourde de conséquences : Atatürk dépossède ainsi les générations à venir de leur passé culturel. Il rend impossible à moyen terme la lecture des calligraphies, des poésies ou des textes mystiques qui avaient fait la gloire de l'époque ottomane.

L'après-Atatürk

1938 : Hitler annexe l'Autriche.

1948 : création de l'État d'Israël.

• **1938-1945**. Atatürk s'éteint en 1938 au palais de Dolmabahçe (*p. 121*). Son dauphin İsmet İnönü a le lourd privilège de mener la politique extérieure de la Turquie pendant la Seconde Guerre mondiale. En signant des traités d'amitié avec l'Allemagne nazie et l'URSS de Staline, le chef du gouvernement préserve la neutralité de son pays jusqu'en février 1945, date à laquelle la Turquie se range dans le camp des Alliés.

• **1950-1983**. Après les musulmans venus des Balkans, l'ancienne capitale voit affluer en masse les Anatoliens à la recherche de travail. La métropole d'Istanbul enregistre durant cette période un boom démographique sans précédent; sa population passe de 1 à 3 millions d'habitants (officiellement), sans compter les faubourgs qui s'étendent prodigieusement. Côté politique, tous les événements importants que traverse le pays se manifestent ici de manière amplifiée. C'est le cas, par exemple, du problème de Chypre, à l'origine de mouvements xénophobes anti-grecs en 1955 d'abord, puis en 1974, lors de l'invasion de l'île. Les derniers orthodoxes restés à Istanbul au lendemain de la guerre d'Indépendance quittent alors la ville. Rejet des minorités, batailles rangées entre la gauche et l'extrême droite, affrontements entre chiites et sunnites ont à chaque fois la même conséquence : l'intervention de l'armée. Par trois fois (en 1960, 1971 et 1980), les généraux ramènent l'ordre par la force. Ils remplissent les prisons politiques, interdisent les partis et exécutent même quelques ministres.

1951 : adhésion de la Turquie et de la Grèce à l'OTAN.

1973 : Élargissement de la Communauté européenne à neuf membres.

1979 : mise en place du régime khomeyniste en Iran.

• **1983-1993**. L'armée regagne ses casernes. Turgut Özal (centre droit), détenant la majorité absolue aux législatives de 1983, mène une politique libérale et réformatrice qui aboutit à une demande d'adhésion à la CEE, en 1987. Réélu la même année, il occupera ensuite la fonction de président de la République jusqu'à sa mort soudaine en 1993.

1991 : guerre du Golfe.

La fin du kémalisme ?

• **1993-1995**. L'espoir que représente Tansu Çiller (droite), nommée Premier ministre par le président de la République Süleyman Demirel (droite), est vite déçu. Aux maladresses politiques, aux scandales de corruption, s'ajoute une gestion économique désastreuse (inflation de plus de 150 % et baisse du pouvoir d'achat de 45 %).

• **1995**. Un an après les municipales qui ont vu les principales villes tomber aux mains des fondamentalistes musulmans, tout le monde s'attend en Turquie à un raz-de-marée en faveur du Refah, le Parti de la prospérité, conduit par Necmettin Erbakan. Le leader islamo-populiste, arrive en tête avec un peu plus de 20 % des voix. Contre toute attente, l'ANAP (Parti de la mère patrie; droite) de Mesut Yılmaz et le DYP (Parti de la juste voie; droite) de Tansu Çiller s'associent pour barrer la route à la « menace islamiste ».

• **1996**. L'alliance des deux partis frères ennemis survit l'espace d'un printemps: en juin, Süleyman Demirel nomme le charismatique Necmettin Erbakan Premier ministre, allié à l'inamovible Tansu Çiller.

• **1997**. La Cour constitutionnelle est saisie en vue d'interdire le Refah pour « activités anti-laïques incitant à la guerre civile ». Sous la pression, Erbakan donne sa démission en juin: la Turquie vient d'inventer le coup d'État institutionnel.

• **1998**. Le Refah est dissous et ses 158 députés deviennent des « non-inscrits ». Erbakan et ses lieutenants sont exclus de toute activité politique pour cinq ans. Mesut Yılmaz est nommé Premier ministre… avec le soutien du DYP de Tansu Çiller.

Le temps des séismes

• **1999**. En avril, les législatives sanctionnent la déroute des partis traditionnels au profit des nationalistes de tous bords. La Turquie expérimente l'alliance des contraires: Bülent Ecevit (DSP; gauche nationaliste), nommé Premier ministre, forme un gouvernement avec l'ANAP de Mesut Yılmaz, et avec l'extrême droite (MHP) de Devlet Bahceli, désormais à la tête de la deuxième force politique du pays. En août, puis en novembre, les tremblements de terre d'Izmit et de la région de Bolu, dans le nord-ouest, font plus de 20 000 morts. Ce malheur met en évidence une certaine incurie générale jusqu'au plus haut niveau de l'État mais permet aussi de renouer des relations amicales avec la Grèce et d'attendrir l'Union européenne, qui accorde à la Turquie un statut de candidat.

• **2000-2001**. La crise financière du secteur bancaire, miné par la corruption, entraîne une inflation de plus de 50 %, des centaines de faillites et la mise au chômage de quelque 2 millions de personnes. Le plan de redressement de Kemal Dervis, ancien vice-président de la Banque mondiale nommé à la tête d'un super-ministère de l'Économie, évite de justesse le spectre de la banqueroute, mais le mécontentement populaire augmente.

2001 : attentats terroristes à New York et Washington (le 11/09). Intervention américaine en Afghanistan.

| L'arrivée des néo-islamistes

- **2002**. En refusant de quitter le pouvoir malgré sa maladie, Bülent Ecevit réunit toutes les conditions d'un séisme politique : aux législatives de novembre, les fondamentalistes devenus des islamistes modérés obtiennent la majorité absolue.

- **2003**. À partir de cette date, sous la conduite du très populaire Recep Tayyip Erdoğan, ancien maire néo-islamiste d'Istanbul nommé Premier ministre, s'ouvrent plusieurs années de stabilité politique et de redressement économique que symbolise l'entrée en vigueur, le 1er janvier 2005, de la nouvelle livre turque.

2003 : intervention américaine en Irak.

2004 : attentats à Madrid. Un tsunami en Asie fait près de 300 000 morts. L'Union européenne compte 25 membres.

- **2005**. Ouverture des négociations d'entrée de la Turquie dans l'UE. Attisé par l'hostilité de certains pays européens, dont la France, l'euroscepticisme gagne du terrain.

2005 : décès du pape Jean-Paul II. Attentats à Londres.

- **2006**. Violences entre manifestants kurdes et forces armées en Anatolie. Orhan Pamuk reçoit le prix Nobel de littérature *(p. 26)*. En novembre, le pape Benoît XVI se rend à Istanbul et se recueille à la mosquée Bleue. Décès de Bülent Ecevit en décembre.

2006 : affrontements entre Israël et le Liban.

- **2007**. Immense manifestation de protestation à Istanbul en janvier après l'assassinat de Hrant Dink, figure de la cause arménienne *(p. 22)*. Les législatives anticipées de juillet, sur fond de crise institutionnelle liée à l'élection du nouveau président de la République, donnent la majorité absolue à Erdoğan. En août, Abdullah Gül devient le premier président de la République issu de la mouvance islamiste : affichant ses convictions proeuropéennes, l'homme séduit les diplomates occidentaux mais inquiète les laïcs qui craignent une infiltration massive des islamistes dans les rouages de l'État. •

2007 : entrée de la Roumanie et de la Bulgarie dans l'Union européenne. Élection de Nicolas Sarkozy à la présidence de la République française. Incendies dramatiques en Grèce. Révolte du peuple birman contre la junte militaire.

▲ L'obélisque s'élevait dans la partie centrale de l'hippodrome. Ce symbole de la puissance impériale fut ramené de Karnak, en Égypte, par Théodose Ier (379-395).

histoire

La Nouvelle Rome, un immense chantier

Inaugurée en 330, la « Nouvelle Rome » est divisée en deux parties : à l'est, surplombant la mer de Marmara et le détroit du Bosphore, un espace sacré où siègent l'empereur et l'Église ; à l'ouest, jusqu'aux murailles, la zone résidentielle. Elle compte 15 000 habitants.

Constantin bâtit son palais à l'emplacement de l'actuelle mosquée Bleue, c'est-à-dire en retrait de l'acropole qu'occupe maintenant le sérail de Topkapı *(p. 53)*. Sa résidence jouxte l'hippodrome, les thermes de Zeuxippe et la place de l'Augustéon, où se dressait la première Sainte-Sophie. Juste à côté, l'église de la Paix-Divine (première Sainte-Irène), fait alors fonction de cathédrale.

Devant la place de l'Augustéon s'ouvre l'artère principale de Constantinople, la Mese (actuel Divan Yolu, *p. 79*), qui traverse la ville d'est en ouest. Dès 324, avant l'ouverture du chantier, des règles sont édictées pour éviter tout risque d'incendie : l'espacement entre deux maisons est fixé à un minimum de 3,50 m ; ruelles ou escaliers doivent avoir au moins 3 m de large.

La Mese rejoint rapidement le forum de Constantin (actuelle université, *p. 89*), orné d'une colonne de porphyre (actuelle Çemberlitaş, *p. 82)* que surmonte la statue de l'empereur. Elle longe ensuite l'aqueduc de Valens (achevé en 378). Après une fourche, l'artère dessert les quartiers résidentiels. L'une des branches se dirige vers la muraille et le sud de la cité, où se trouvent d'immenses réservoirs d'eau, l'autre vers l'église des Saints-Apôtres (disparue) et le Capitole. Au-delà de l'enceinte s'étendent les cimetières d'une ville dont la population s'élève à 300 000 ou 400 000 habitants au ve s., un chiffre considérable. ●

▼ Constantinople au ve s.

1 Saint-Jean-de-Stoudion (Imrahor Camii), 2 Citerne de Mocius, 3 Citerne d'Aetius, 4 Saint-Sauveur-in-Chora (Kariye Camii), 5 Quartier des Blachernes (intégré aux remparts au viie s.), 6 Citerne d'Aspar, 7 Saints-Apôtres (Fatih Mehmet Camii), 8 Porta Platea, 9 Aqueduc de Valens, 10 Forum d'Arcadius, 11 Forum du Bœuf, 12 Amastrianum, 13 Forum de Tauri (forum de Théodose), 14 Forum de Constantin (Çemberlitaş), 15 Citerne basilique (Yerebatan Sarayı), 16 Hippodrome, 17 Palais impériaux, 18 Saints-Serge-et-Bacchus (Küçük Aya Sofya Camii), 19 Palais et porte du Boucoléon, 20 Sainte-Marie Hodighiteria, 21 Sainte-Sophie, 22 Sainte-Irène, 23 Milliaire d'or.

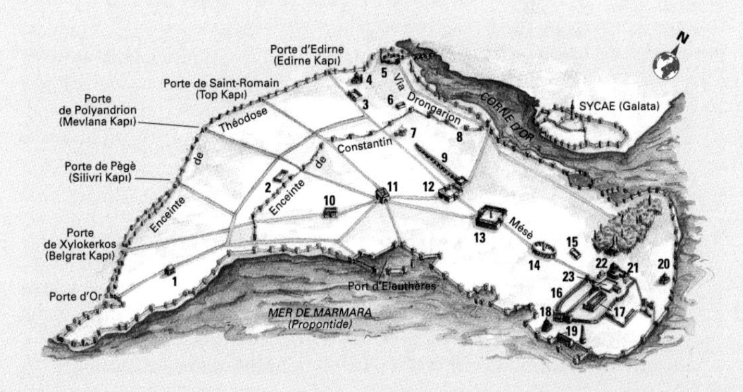

▲ Marbres et ors, décors incrustés de nacre, faïences et calligraphies : le palais de Topkapı, constamment embelli au cours de l'âge ottoman, offre un parfait condensé du raffinement de l'art au temps des sultans.

arts

L'art au temps des sultans

L'art ottoman repousse toujours plus loin la quête de raffinement. Paradoxalement, il trahit souvent une grande fascination pour l'Occident, l'ennemi de toujours, et cherche à le surpasser. Il y réussira plus d'une fois…

|| Les premiers sultans, princes de la Renaissance

L'image selon laquelle les premiers grands sultans étaient des sortes de barbares destructeurs, vindicatifs et fanatisés est une vue de l'esprit propagée par l'Occident. En réalité, seule la religion distinguait vraiment les souverains ottomans de leurs contemporains de la Renaissance. Mehmet II (1451-1481) est un passionné d'histoire et un grand amoureux de la peinture occidentale. Ami des arts, il invite à sa cour de nombreux artistes italiens, comme le peintre vénitien Gentile Bellini qui reste quinze mois à Constantinople. Ce dernier réalise le portrait du sultan ainsi que les fresques (licencieuses selon la légende), aujourd'hui disparues, du palais de Topkapı. Beyazıt II (1482-1512) détruit, certes, la collection de tableaux de maîtres de son père; cependant, il se montre éclairé sur les grands hommes de son temps. Il tente ainsi d'attirer Léonard de Vinci pour faire construire un pont sur la Corne d'Or. Son fils Selim Ier (1512-1520) renouvellera cette offre à Michel-Ange, déclenchant une crise à Rome: le pape Jules II, scandalisé à la nouvelle du départ éventuel de l'artiste, utilise les grands moyens pour que l'artiste change d'avis, brandissant la menace d'excommunication… L'architecte, probablement intimidé, restera à Rome.

|| La floraison des arts

Le règne de Soliman le Magnifique coïncide avec l'apogée de l'art ottoman. Le sultan s'entoure d'une armada de poètes. À cette époque, Sinan *(p. 179)* conduit l'architecture à sa perfection, tandis que les ateliers d'enluminure se multiplient au sérail de Topkapı. Les peintres sont chargés de décorer les manuscrits, d'immortaliser les hauts faits du monarque, mais aussi de mettre au point le programme décoratif de l'intérieur des mosquées. La calligraphie, art majeur de l'islam, atteint son apogée. Istanbul devient le grand centre de tissage des velours et des soies. Les tapis sont recherchés jusqu'en Europe. On les retrouve dans les tableaux des plus grands maîtres occidentaux, de Bellini à Holbein.

|| Le temps des esthètes

La plupart des souverains du XVIIe et du XVIIIe s. passent leur vie à embellir le palais de Topkapı et à organiser des fêtes. Ils s'intéressent généralement à tout autre chose qu'à la politique, à l'image d'Ahmet III (1703-1730), grand amateur de femmes, d'oiseaux et de tulipes, dont le règne prendra le nom d'« époque des Tulipes ».

Au XVIIIe s., faute de trouver une inspiration nouvelle sur place, on se tourne vers l'Occident et le style qui y fait fureur : le rococo. Malgré la réticence des religieux, ce style très profane s'exprime timidement dans les mosquées (Nuruosmaniye Camii, *p. 82)*. Il s'applique avec plus de liberté dans l'architecture civile, au palais de Topkapı en premier lieu. Plusieurs pièces du harem sacrifient alors à la mode du stuc doré, surchargé de décorations, qui couvre les plafonds, les murs, les niches et les cheminées. L'esthétique venue d'Europe s'applique aussi à certains bâtiments publics. C'est le cas par exemple des gracieuses fontaines que le sultan Ahmet III élève près de Sainte-Sophie *(p. 53)* et à Tophane *(p. 113)*, non loin du Bosphore. Avec ses formes contournées, ses toits cintrés et son décor végétal souvent traité en

© Sylvain Grandadam

◄ **Le *yalı* d'Ali Pacha à Yeniköy, avec ses tourelles et ses dômes, témoigne de l'éclectisme architectural en vogue autour de 1900.**

fort relief, ce rococo au parfum oriental témoigne d'une fascination pour l'Occident qui ne cessera de s'affirmer au XIXe s.

|| Folies palatiales

Au XIXe s., les sultans quittent Topkapı pour s'installer sur les rives du Bosphore. Ils sont suivis par les notables, dont des résidences d'été, les *yalı* *(p. 138)*, envahissent les berges du détroit. Le premier souverain à franchir le pas est Abdülmecit Ier (1839-1861), à Dolmabahçe *(p. 121)*. La réalisation du palais est confiée à deux architectes arméniens, Garabed Balyan et son fils Nikoğos, qui édifient un bâtiment hybride, sorte de pastiche de l'art occidental revu et corrigé par l'Orient. À l'intérieur, le même goût pour l'éclectisme et la même volonté d'accumulation s'exprime : sous des lustres de cristal, des meubles européens de tous styles côtoient des tapis d'Orient et des vases de Sèvres marqués du monogramme des sultans. Plus tard, Abdülmecit Ier fait construire par le même Nikoğos Balyan le palais de Göksu (ou Küçüksu, *p. 138*), plus modeste mais aussi fantaisiste. Abdülaziz partage avec son prédécesseur le goût des belles résidences entourées de magnifiques jardins que l'on agrémente de kiosques. Il choisit la rive asiatique et s'installe dans le palais de Beylerbeyi *(p. 127)*, construit par Sarkis Balyan, le frère de Nikoğos, dans un esprit presque néoclassique. Il fait achever le palais de Çirağan *(p. 125)*, qui devient un splendide édifice de pierre au parfum d'Arabie. Abdülhamit II relie ce nouveau bâtiment au parc de Yıldız *(p. 125)*, dont il fait une sorte de paradis terrestre. Au milieu des serres et des essences rares, il élève le pavillon des Cérémonies, dont l'allure de chalet marque un retour vers une certaine tradition ottomane. C'est de là que le sultan à demi fou assiste à l'agonie de son empire. ●

définitions

Glossaire d'art et d'architecture

Arasta : bazar formé de petites boutiques.

Bedesten : marché ou entrepôt couvert (de *bez* = « tissu » en turc).

Déisis : thème pictural byzantin présentant le Christ entouré des deux grands intercesseurs du genre humain, la Vierge et saint Jean-Baptiste.

Dormition : thème pictural byzantin montrant le sommeil de la Vierge Marie au cours duquel eut lieu son Assomption (Marie ne meurt jamais selon le dogme).

Exonarthex : galerie parallèle au narthex.

Han (caravansérail) : complexe commercial organisé autour d'une cour centrale. Le rez-de-chaussée servait d'entrepôt, l'étage de logement aux marchands.

Harem : appartements privés dans une maison ou un palais.

Imaret : hospice et cantine populaire destinés aux pauvres se trouvant dans l'enceinte de la mosquée.

Köşk : kiosque ou résidence princière d'été.

Külliye : ensemble du complexe religieux, regroupant la mosquée et toutes les constructions annexes (*imaret, medrese,* cimetière, etc.).

Medrese (ou medersa) : bâtiment annexe d'une mosquée où l'on enseigne le Coran.

Mihrâb : niche aménagée dans le mur orienté vers La Mecque à l'intérieur d'une mosquée.

Minbar : chaire (souvent en bois) surmontée d'un dais. L'imam se tient en bas sur l'escalier, son sommet étant réservé au Prophète.

Mosquée : en arabe *masdjid* (« lieu où l'on adore »), en turc *cami* (« lieu de prosternation »).

Narthex : salle rectangulaire précédant la nef des églises byzantines.

Parecclésion : chapelle annexe d'une église byzantine, souvent ajoutée latéralement au sanctuaire principal.

Qibla : direction de La Mecque, matérialisée par un mur percé d'un mihrâb dans une mosquée.

Stalactites : motifs décoratifs évoquant des « nids d'abeille ».

Tekke : couvent de derviches.

Türbe : monument funéraire surmonté d'une coupole dans l'architecture ottomane.

Yalı : demeure aristocratique en bois, construite généralement sur les rives du Bosphore. ●

▲ Le *Christ bénissant* (autour de 1300) accueille les fidèles à la Kariye Camii (Saint-Sauveur-in-Chora). S'adressant à l'individu en cherchant à l'émouvoir, il est représenté comme un homme au regard emprunt d'une mélancolique gravité.

► Tribune sud de Sainte-Sophie. Constantin Monomaque, empereur du milieu du XIe s., est présenté de façon hiératique, tourné vers le Christ, en costume impérial incrusté de pierres précieuses.

art

La mosaïque byzantine

Loin d'être un art figé, la mosaïque accompagne l'histoire mouvementée de Byzance : elle éclate lors des époques fastes et disparaît en temps de crises. Son rôle ne s'arrête pas, comme la fresque en Occident, à favoriser l'édification des fidèles. Couvrant à l'origine l'ensemble des parties hautes des églises, la mosaïque capte et transforme l'essence immatérielle que les théologiens considéraient comme une manifestation divine : la lumière.

L'esprit de l'Antiquité

À Sainte-Sophie (*p. 69*), les mosaïques les plus anciennes datent du IXe s., au lendemain de la crise iconoclaste. Qu'il s'agisse de Léon le Sage prosterné devant le Christ (à l'entrée, IXe s.) ou de la Vierge à l'Enfant entourée de Constantin et de Justinien (dans le vestibule, Xe s.), elles adoptent une même esthétique imprégnée de l'esprit de l'Antiquité. Les personnages sont figés et distants. Ils donnent l'impression de planer et se détachent nettement sur le fond d'or.

Un art au plus près des hommes

Au lendemain de la reconquête de la ville (1261), les mosaïstes changent de style. Ils assouplissent les lignes, gomment le géométrisme de jadis et cherchent à faire entrer leurs figures en relation les unes avec les autres. La Vierge, bien humaine, regarde maintenant son Fils. Elle exprime parfois de la douleur, plus rarement de la mélancolie, mais toujours un profond sentiment maternel. La Déisis (1261) de la galerie sud de Sainte-Sophie, exemple le plus précoce de cette esthétique, a perdu toute austérité. Le visage de Marie, le regard rempli de tristesse, est l'un des plus émouvants qu'ait laissé l'art byzantin.

L'église byzantine, coupoles et mosaïques

L'église trouve sa forme définitive au temps des empereurs macédoniens et ne changera plus, sauf dans les détails. Les architectes adoptent de manière systématique le plan en croix à branches égales que surmonte une coupole centrale, métaphore architecturale du Ciel. Comme à l'époque de Justinien, des mosaïstes sont chargés de décorer l'intérieur. Ils doivent suivre un programme iconographique élaboré par les théologiens, dont la hiérarchie s'organise en fonction de l'architecture. Le Christ Pantocrator et la Vierge occupent respectivement la coupole et l'abside, c'est-à-dire les emplacements les plus importants. Les voûtes ou les parties supérieures des murs, plus proches des fidèles, illustrent les manifestations du divin sur la Terre : cycles des grandes fêtes, miracles, scènes tirées du Nouveau Testament, portraits des saints et des évêques, etc.

L'envahissement du *pathos*

Au XIVe s., tous les moyens sont bons pour toucher les fidèles. Dans l'ancienne église Saint-Sauveur-in-Chora (1315-1321, *p. 106*), les artistes se laissent volontiers aller au pittoresque, voire au pathétisme, et décrivent des lieux précis avec un souci nouveau de perspective. Ils racontent l'histoire sainte sans se limiter aux moments clefs, en n'écartant pas l'anecdote et en animant les scènes : les draperies s'envolent, les figures élancées et fragiles décollent du sol ou ne s'y rattachent que par la pointe des pieds. À cela s'ajoutent une fraîcheur des coloris et un nombre étonnant de demi-tons (gris perle, mauve, rose tendre), qui donnent aux mosaïques un aspect chatoyant. ●

© Hervé Hughes/hemis.fr

▲ Acheminé de fort loin, l'ivoire était un matériau extrêmement recherché à Byzance. Il servait à réaliser des objets de toilette raffinés ou des objets pieux portatifs destinés à la dévotion individuelle. Sous forme de plaques sculptées, il ornait aussi la couverture des bibles et autres livres liturgiques.

art

L'ivoirerie,
la sculpture byzantine

La sculpture monumentale survit timidement dans l'empire byzantin jusqu'aux VIe-VIIe s., quand l'influence de l'Antiquité se fait encore sentir. Puis elle s'éteint en raison d'une observance de plus en plus stricte du Décalogue, qui proscrit les images faisant de l'ombre.

Les sculpteurs s'orientent alors vers l'art funéraire, reflet de la croyance chrétienne en l'au-delà, l'orfèvrerie et la réalisation d'objets de dévotion privée en ivoire. Ce matériau très précieux est acheminé d'Inde ou d'Afrique, *via* les ports de la mer Rouge. Il est réservé aux fastes de la liturgie chrétienne ou impériale, et seuls les hauts personnages de l'État en possèdent. Le style des ivoiriers suit globalement la même esthétique que la mosaïque, mais cet art ne connaît pas de déroulement continu.

Après la période féconde du VIe s., où prolifèrent les tablettes figurant les empereurs ou les consuls, l'ivoirerie s'interrompt pendant trois siècles. Elle renaît de manière éphémère (950-1030) pour transposer des icônes (Vierge à l'Enfant, Crucifixion, etc.). Diverses raisons ont été avancées pour expliquer cette désaffection : fin d'une mode, matériau devenu introuvable et hors de prix ?

Inutile donc de s'attendre à voir des statues ou des tympans historiés sur les façades des églises byzantines. À l'intérieur, les chapiteaux paraîtront tout aussi frustes aux amateurs d'art roman. Refusant toute figuration humaine, sauf très rares exceptions, ils s'agrémentent seulement de motifs végétaux stylisés. ●

© Claude Vittiglio

portrait
L'architecte Sinan

Sinan (1489/1491-1588), né chrétien, est enlevé à sa famille pour intégrer le corps des janissaires. Son nom est mentionné à partir de 1536, date à laquelle il édifie sa première mosquée à Alep.

Peu après 1536, Soliman lui confie le soin de bâtir des ponts, des murailles et des forteresses, avant de le nommer architecte en chef à la cour en 1539. Sinan édifie plusieurs mosquées, notamment la gigantesque Süleymaniye *(p. 87)*. Il reçoit aussi les commandes des sultanes, des princesses ou des grands vizirs. Sinan est reconduit dans ses fonctions par Selim II, le fils de Soliman, pour lequel il réalise la mosquée Selimiye à Edirne à l'âge de 85 ans. Après 50 ans de services, Sinan prend sa retraite. À 95 ans, il part à pied pour La Mecque... et meurt peu après, en 1588, presque centenaire !

Trois mosquées d'Istanbul résument son art. Dans la Şehzade *(p. 93)*, l'architecte pose les constantes de son art : un goût de la symétrie poussé à l'extrême et une volonté de supprimer tout cloisonnement, pour adapter au mieux l'espace interne à la liturgie islamique. Dans la Süleymaniye *(p. 87)*, Soliman impose plusieurs contraintes : le monument aura le plan de Sainte-Sophie et devra utiliser des matériaux antiques. Sinan reprend donc le plan à coupole centrale soutenue par deux demi-coupoles de l'église de Justinien *(p. 69)*. Surtout, il ouvre beaucoup plus largement son édifice à la lumière. Le génie sinanien éclate avec la modeste Mihrimah Camii *(p. 106)* : l'architecte élimine tous les contreforts extérieurs, imprime à la masse pesante un mouvement ascendant, crée un espace intérieur lumineux et unitaire que nulle colonne n'assombrit. ●

▲ L'intérieur des mosquées sinaniennes étonne par leur aération, leur luminosité et leur fluidité. Durant sa longue carrière, Sinan a cherché à gommer toute rupture, en imaginant des espaces toujours plus homogènes et toujours plus unitaires.

© Arnaud Galy

▲ La prière s'effectue à heures fixes dans la mosquée. Chacun s'installe à l'endroit de son choix, en se tournant vers La Mecque. Les femmes disposent d'espaces dédiés, délimités par des clôtures en bois.

religion

L'islam en quelques mots

La foi islamique repose sur le Coran (de *Qur'an*, « lecture » en arabe), paroles de Dieu transmises au Prophète par l'archange **Gabriel**, et sur les *hadith* ou *sunna*, les paroles prêtées au prophète **Mahomet** (569-632). Mahomet n'a jamais prétendu créer une religion nouvelle, mais seulement restaurer dans toute sa pureté celle que diffusèrent les prophètes du Livre : Adam, Noé, Moïse, Salomon, Jésus, etc.

L'islam sunnite et chiite

En Turquie, la majorité des fidèles sont **sunnites**. Ils reconnaissent comme légitimes les quatre premiers califes (vicaires du Prophète) qui succédèrent à Mahomet (Abou Bakr, Omar, Othman, Ali) et désignent les suivants par investiture. Les **chiites** considèrent que le califat aurait dû revenir immédiatement à Ali, l'époux de Fatima, la fille de Mahomet. Quand Ali fut assassiné en 659, sunnites et chiites se séparèrent définitivement. Les chiites vénèrent toujours les imams, ou descendants d'Ali, et croient en l'apparition d'un « imam caché » au moment du Jugement dernier.

Croyances du musulman

L'islam repose sur un **monothéisme** pur et une **unicité absolue de Dieu**. Il n'y a pas de péché originel, ni de déchéance humaine. Un décret divin prédétermine le destin de chacun. Le diable n'existe pas. Chaque fidèle a deux anges gardiens: l'un note les bonnes actions, l'autre les mauvaises. Le livre consignant la vie de chacun est présenté à Dieu le jour du **Jugement dernier**. Après l'intercession de Mahomet, les justes entreront au Paradis, et les mauvais iront en Enfer. Dans l'islam, les peines de l'Enfer ne sont pas éternelles et les péchés finissent par être pardonnés. Les « peuples du Livre » (juifs et chrétiens) ne sont pas considérés comme des infidèles (athées et idolâtres) et ont accès au salut. Les musulmans leur reprochent d'avoir « falsifié » les Écritures.

Les cinq piliers de l'islam

- **L'affirmation de la foi** en prononçant la formule: « Il n'y a qu'un Dieu et Mahomet est son prophète ».

- **La prière cinq fois par jour** (aube, midi, milieu d'après-midi, soir et nuit), annoncée par le muezzin et précédée d'un rite d'ablutions. La prière comporte quatre stations : debout, inclination, prosternation, station assise sur les talons. Le fidèle se tourne en direction du mur de la *qibla*, orienté vers La Mecque.

- **L'aumône** est essentielle: la solidarité entre croyants est l'un des fondements de l'islam.

- **Le jeûne du ramadan**. Le ramadan commémore l'apparition de Gabriel au Prophète. Il a lieu au cours du neuvième mois lunaire de l'année de l'hégire et dure 30 jours. À l'exception des malades, des femmes enceintes et des enfants en bas âge, les musulmans s'abstiennent de boire, de manger, de fumer, de respirer du parfum et d'avoir des relations sexuelles de l'aube au crépuscule. Il est recommandé de lire pendant cette période le Coran dans son entier. La finalité du ramadan est d'amener les hommes de toutes conditions à mépriser ensemble les contingences terrestres et de les pousser à un rapprochement commun avec Dieu.

- **Le pèlerinage à La Mecque** est obligatoire une fois dans sa vie, au moins pour tout musulman qui en a les moyens. Il symbolise le retour au centre de toutes choses et permet le pardon de tous les péchés. •

© Claude Vittiglio

▲ Une mosquée ottomane s'apparente à un assemblage complexe de coupoles et de demi-coupoles qui s'épaulent les unes les autres. Dérivant de l'architecture byzantine, leur structure d'une très grande solidité leur a permis de résister à des tremblements de terre de forte magnitude.

► Dans une mosquée impériale, le nombre d'encorbellements d'un minaret indique le rang dynastique du sultan commanditaire. D'un point de vue esthétique, leur forme effilée souligne et accompagne l'élancement des coupoles recouvrant la salle de prière.

architecture

La mosquée ottomane

Les grandes mosquées impériales de l'âge ottoman, souvent érigées sur les plus hautes collines d'Istanbul, ne sont pas seulement de splendides témoignages laissés par des souverains désireux de marquer l'histoire et le visage de la ville. La *külliye*, qui les entoure et occupe une superficie gigantesque, ajoute à la fonction religieuse des sanctuaires une dimension sociale et intellectuelle.

La külliye

Outre la mosquée, la *külliye* («ensemble») comporte un grand nombre de dépendances aux fonctions précises. Les *medreses* isolent la mosquée du tissu urbain. Elles annoncent l'édifice principal par leur moutonnement de coupoles. Les enfants y apprenaient à lire et à écrire, tandis que les futurs ulémas (fonctionnaires religieux) y étudiaient le Coran et toutes sortes de disciplines. La *külliye* comprend aussi une bibliothèque et des bâtiments comme l'hôpital et l'*imaret*, une cantine populaire destinée aux étudiants indigents et aux pauvres du quartier. L'entretien du complexe était assuré par les donations pieuses des sultans ou par les revenus du hammam et de l'éventuel *arasta*, ou bazar.

La mosquée

Séparée de ses dépendances par une enceinte ou un espace laissé vide, la mosquée s'ouvre par une cour carrée entourée de portiques et ornée d'une fontaine à ablutions. Les minarets sont plantés de chaque côté de la salle de prière. L'islam les associe symboliquement à l'image de la montagne cosmique et, quand ils sont au nombre de quatre (les deux autres étant situés à l'entrée de la cour), aux piliers soutenant le ciel. À l'origine, leurs encorbellements accueillaient chacun un *muezzin* (des haut-parleurs de nos jours) afin que l'appel à la prière soit lancé « aux quatre points cardinaux ».

La mosquée ottomane présente d'abord un plan en T renversé (la Beyazıt Camii, *p. 90*, présente encore ce plan), avant de reprendre la formule byzantine du cube surmonté d'une coupole centrale épaulée par des demi-coupoles (2 à la Süleymaniye Camii, *p. 87*, 4 dans la plupart des autres édifices). Afin qu'aucune rupture ne vienne briser la verticalité de l'édifice, les architectes utilisent les stalactites ou *muqarna*, formes triangulaires en éventail permettant de passer sans rupture du plan polygonal au plan hémisphérique.

Qibla, *mihrâb* et *minbar*

Le mur dit de la *qibla*, orienté vers La Mecque, porte le *mihrâb* (le « refuge »). Cette niche de prière a la forme d'une conque, c'est-à-dire symboliquement la « caverne du monde », la voûte étant l'image du Ciel, le piédroit sur lequel retombe l'arc étant la métaphore de la Terre. Une ou plusieurs lampes évoquent la lumière divine. Véritable saint des saints, le *mihrâb* ottoman reçoit une somptueuse décoration de faïences d'Iznik qui représente le Paradis. À droite du *mihrâb*, le *minbar* ou chaire à prêcher est à l'image du socle d'ébène à six marches qui supportait le siège utilisé par Mahomet pour parler à ses fidèles à Médine. L'imam y prononce la prière du vendredi. Il se tient sur la marche inférieure et laisse le trône vide en souvenir du rôle suréminent du Prophète. Le *minbar* ottoman, en bois ou en marbre, est décoré de motifs géométriques circulaires où s'inscrit un polygone étoilé, expressions de l'Unité divine et de la variété du monde.

Le cimetière

Un petit cimetière se trouve dans l'axe de la salle de prière. Il abrite le *türbe* du fondateur et de sa famille, mausolée monumental dont le plan octogonal rappelle la tente d'apparat, ou yourte, du lointain passé nomade des Ottomans. ●

© Van Tine Dennis/Gamma

culture

Livres, musiques et films

Bibliographie

Art

Constantinople, capitale d'empires, Yerasimos S. et Denker W., Place des Victoires, 2005. L'approche brillante et somptueusement illustrée de celui qui fut le meilleur spécialiste d'Istanbul.

L'Art de l'Empire byzantin, Talbot-Rice D., Thames & Hudson, 2004. Un excellent condensé de l'art byzantin et une introduction avant d'aborder les écrits du grand spécialiste de la question, André Grabar (édité chez Flammarion).

L'islam et l'art musulman, Papadopulo A., Citadelles et Mazenod, 2002. Une somme sur le sujet et un pur joyau éditorial.

Splendeurs d'Istanbul, Hellier C., Mengès, 1993. Pour tout savoir sur les palais et les *yalı* du Bosphore. Magnifiques photographies.

Histoire et civilisation

Histoire de l'Empire ottoman, Mantran R., Fayard, 1989. Pour tout savoir sur la tribu d'Osman *(p. 160)*, de ses obscurs débuts à sa gloire, puis à sa lente agonie.

Histoire de l'État byzantin, Ostrogorsky G., Payot, 2007. L'histoire de l'Empire byzantin qui fait toujours référence.

La Turquie, Vaner S. Fayard, 2005. Par une quinzaine de spécialistes français et turcs, la référence absolue pour qui veut tout savoir de la Turquie contemporaine.

Littérature

Le Livre noir, Pamuk O., Folio-Gallimard, 1996. L'errance d'un homme abandonné par sa femme. Istanbul a enfin trouvé son écrivain, prix Nobel de littérature 2006 ***(photo ci-contre)***. *Voir aussi p. 26.*

Mon nom est rouge, Pamuk O. Folio-Gallimard, 2003. Passionnant roman dans l'Istanbul bariolée du XVIe s., sur fond de décadence naissante.

Un long été à Istanbul, Gürsel N., Gallimard, L'Imaginaire, 2007. Des nouvelles autour d'Istanbul, par l'un des meilleurs écrivains turcs actuels.

Anthologie

Le Voyage en Orient, anthologie des voyageurs français dans le Levant au XIXe s., Robert Laffont, coll. Bouquins, 1985. Des extraits de Lamartine, Nerval, Gautier, Loti et de la comtesse de Gasparin, la grande « réhabilitatrice » d'Istanbul à la fin du Second Empire.

Discographie

Crossing the bridge, Warner. La bande originale du film de Fatih Akin. Une merveilleuse introduction à l'inventivité de la musique turque actuelle, d'Orhan Gencebay à Mercan Dede, en passant par Duman.

Turkey Splendours of Topkapı, Bezmârâ, Opus 111. Pour s'initier à la musique ottomane des XVIe et XVIIe s., interprétée sur des instruments d'époque.

Et aussi les disques des stars de la pop du moment : Tarkan, Mustafa Sandal, Levent Yüksel, Doğus, Yonca Eucimik et Sezen Aksu.

●●● *Voir aussi la musique turque, p. 30.*

Radio

Istanbul zone d'ondes, www.istanbulradio.org. Une radio culturelle, reflet de l'actuelle effervescence créatrice d'Istanbul.

Filmographie

Crossing the bridge (2005), de F. Akin, MK2. « The sound of Istanbul », un portrait musical d'Istanbul en forme de kaléidoscope.

Uzak (2002), de N. Bilge Ceylan, Aventi. Deux hommes que tout sépare errent dans une Istanbul dépourvue d'horizon. Un film grave et contemplatif, grand prix au festival de Cannes 2003 et prix d'interprétation masculine pour ses deux acteurs. ●

pratique

Alaşehir
DOĞAL MADEN
EAU MINERALE
ÜLKER
Cola
Turka

Organiser son voyage

© Claude Vittiglio

S'informer

Offices de tourisme et d'information

• **En France**. 102, av. des Champs-Élysées, 75008 Paris ☎ 01.45.62.78.68 et 01.45.62.79.84, fax 01.45.63.81.05, www.infoturquie.com. *Ouv. lun.-ven. 9 h 30-18 h.*

• **En Belgique**. 4B, rue Montoyer, 1000 Bruxelles ☎ (02) 513.82.30. www.tourismturkey.be. *Ouv. lun.-ven. 9 h 30-13 h et 14 h 30-17 h.*

• **En Suisse**. Stockerstrasse, 8002 Zürich ☎ (044) 221.08.10, www.tuerkei-info.ch. *Ouv. lun.-ven. 9 h-17 h.*

• **Au Canada**. Ambassade, 197 Wurtemburg Street, Ottawa, Ontario K1N 8L9 ☎ (613) 789.40.44, www.turkishembassy.com. *Ouv. lun.-ven. 9 h-17 h.*

Informations culturelles

• **Association**. À Ta Turquie, 43, rue Saint-Dizier, 54000 Nancy ☎ 03.83.37.92.28, www.ataturquie.asso.fr. *Ouv. lun. 14 h-19 h, mar.-ven. 9 h 30-12 h 30 et 14 h-19 h, f. sam. et dim.* L'association édite divers ouvrages ainsi que la revue *Olusum* et fait la promotion de la culture turque.

• **Centre culturel Anatolie**. 77, rue La Fayette, 75009 Paris ☎ 01.42.80.04.74. www.cca-anatolie.com. *Ouv. lun.-ven. 10 h-19 h, sam. 9 h 30-16 h 30.* Conférences, expositions et cours de turc.

◀ *Pages précédentes :* le nationalisme à travers un cola alternatif, le Cola Turka, comme il existe aussi un China Cola, un Inca Cola, un Corsica Cola, ou encore un Breizh Cola...

◀ Autour du pont de Galata, des souterrains en forme de modernes cavernes d'Ali Baba abritent une foule de commerces, la plupart dédiés à l'électronique. Un lieu toujours bondé à ne pas manquer !

Sur Internet

● **Informations générales.** **www.ambafrance-tr.org** : site de l'ambassade de France en Turquie (actualités, relations franco-turques, associations). **www.ibb.gov.tr** : site du Grand Istanbul (en anglais), avec des informations utiles (météo, plans, *webcams*, guide de la ville, etc.). **www.mymerhaba.com** : site de la communauté française de Turquie. De précieux conseils.

● **Informations culturelles.** **www.kultur.gov.tr** : site du ministère de la Culture et du Tourisme de la république de Turquie (en français). **www.istanbulguide.net** : guide d'Istanbul très complet (en français).

● **Informations touristiques.** **www.istanbullife.org** : informations culturelles et pratiques sur l'Istanbul d'hier et d'aujourd'hui avec une foule de bonnes adresses (en français). **www.infoturquie.com** : site de l'office du tourisme de Turquie, une mine d'informations pour préparer son voyage (en français). **www.istanbul.com** : site de l'office du tourisme d'Istanbul, avec tout ce qu'il faut savoir pour sortir, se distraire, se nourrir, se loger et se cultiver (en anglais) ; météo sur 3 jours et convertisseur de monnaies. **www.timeout.com.tr** : informations pratiques, bonnes adresses et vie nocturne (en anglais).

Librairies

● **Librairies spécialisées.** **Özgül**, 15, rue de l'Échiquier, 75010 Paris ☎ 01.42.46.56.01. Livres turcs. **Samuelian**, 51, rue Monsieur-le-Prince, 75006 ☎ 01.43.26.88.65. Librairie arménienne.

● **Librairies de voyage.** **À Paris.** L'Astrolabe, 46, rue de Provence, 75009 ☎ 01.42.85.42.95. **À Bruxelles.** Peuples et Continents, Galerie Ravenstein 17, 1000 Bruxelles ☎ (02) 511.27.75, www.peuplesetcontinents.com. **En Suisse.** Le Vent des Routes, 50, rue des Bains, 1205 Genève ☎ (022) 800.33.81.

Quand partir ?

● Le **printemps** et l'**automne** sont les meilleures saisons pour découvrir Istanbul. Dès avril, la température devient douce. En septembre, il fait encore beau et surtout beaucoup moins chaud qu'en été. On peut se baigner au moins jusqu'en octobre. À ces périodes de l'année, il y a aussi moins de touristes qu'en été, ce qui permet de découvrir les grandes curiosités de manière beaucoup plus sereine. En outre, les tarifs hôteliers de basse saison peuvent baisser de 30 %, et il est évidemment plus facile de trouver une chambre dans certains établissements de charme très demandés.

climat
températures moyennes

Mois	J	F	M	A	M	J	J	A	S	O	N	D
Air (°C)	5	6	7	12	16	21	23	24	21	16	12	8
Mer (°C)	9	8	8	11	14	20	23	24	21	17	15	11

• **En été,** Istanbul bénéficie de températures agréables la plupart du temps. Bien que la ville soit bien aérée grâce à la présence de la mer, le thermomètre peut flirter avec les 40 °C en juillet et en août. Pour vous rafraîchir, faites comme les habitants : utilisez les services des porteurs d'eau, allez boire un verre dans un petit bar ou à la terrasse ombragée d'un café plus chic. Si la chaleur est vraiment torride, le mieux est de trouver refuge sur les rives du Bosphore et de prendre le frais dans un parc. L'été, le nombre de visiteurs est très fluctuant d'une année à l'autre, mais il est toujours prudent de réserver sa chambre d'hôtel avant de partir. Enfin, il faudra rester patient lors de vos visites. Les files d'attente pour la croisière sur le Bosphore *(p. 136)*, pour pénétrer à Sainte-Sophie *(p. 69)*, au sérail de Topkapı *(p. 53)* et au palais de Dolmabahçe *(p. 121)* sont bien longues.

• **L'hiver** commence dès novembre. Le temps devient maussade et il souffle souvent un vent glacial et humide. Les pluies fréquentes rabattent les poussières accumulées dans l'atmosphère durant les chaleurs estivales. Lors de fortes précipitations, il n'est pas rare de voir des torrents d'eaux sales dévaler les rues de la ville. Toutefois, visiter Istanbul en hiver, notamment y passer les fêtes de fin d'année, est une excellente idée, originale et réalisable avec un petit budget. Vous paierez votre billet d'avion au tarif le plus bas, de même pour votre chambre d'hôtel, la plupart des établissements étant alors à moitié vides. Le rythme stambouliote redevient plus authentique, sans pour autant s'assagir. S'il fait beau, vous admirerez la ville et les rives du Bosphore tantôt auréolées d'une légère brume, tantôt sous la lumière parfaitement limpide des jours d'hiver. S'il neige, ce qui arrive de temps en temps, vous verrez les monuments et les mosquées sous un jour exceptionnel. Istanbul paraît alors plus balkanique qu'orientale.

••• ***Météo** : la météorologie nationale turque (http://meteoroloji.gov.tr) fournit les prévisions les plus fiables.*

bonnes affaires

Billets d'avion à tarifs négociés

Offre abondante sur les compagnies régulières avec transit ou charters directs. À partir de 230 € l'A/R en basse saison et de 290 € en haute saison. **Easy Vols** ☎ 0899.700.207, www.easyvols.fr. **Nouvelles Frontières** ☎ 0825.000.747, www.nouvelles-frontieres.fr. **Bourse des voyages** ☎ 0892.888.949, www.bourse-des-voyages.com. •

Voyage individuel

En avion

• **Compagnies régulières.** Au départ de Paris, comptez env. 3 h 20 pour un vol sans escale. Les prix se situent autour de 350 € en basse saison (oct.-mars) et de 485 € en haute saison (avr.-oct.), ces tarifs étant assortis de conditions particulières : réservation à l'avance, billets modifiables avant le départ (frais : 50 €) et durée de séjour limitée. **Air France** ☎ 0820.820.820, www.airfrance.fr. 4 vols/j. au départ de Roissy-Charles-de-Gaulle (terminal 2B). **Turkish Airlines** ☎ 0825.80.09.02, www.thy.com. Agences également à Lyon, Strasbourg et Nice. 2 vols/j. au départ de Paris Orly-Sud. Vols au départ de Lyon, Strasbourg, Nice, Bruxelles et Genève.

En bateau

Des agences de voyages spécialisées dans la vente de croisières, comme la **Boutique des croisières** (30, rue de Paradis, 75010 Paris ☎ 0800.03.42.72, www.boutique-croisieres.com) vous orienteront dans le dédale de formules proposées par les croisiéristes tels que Costa ou MSC croisières...

voyage

Sur les traces de l'Orient-Express

De Paris-gare de l'Est, un train mythique part de mars à novembre sur les traces de l'Orient-Express (celui-ci n'effectue plus aujourd'hui que la liaison Paris-Venise). Il rejoint Istanbul 5 jours plus tard vers 15 h, *via* Budapest et Bucarest. **VSOE Voyages** ☎ 01.55.62.18.00, www.orient-express.com (en anglais). ●

En train

Le tarif est plus onéreux que celui d'un vol charter et le trajet (Paris/Munich/Arad/Timisoara/Videle/Istanbul) dure environ deux jours. Aucune agence n'organise ce trajet (SNCF incluse) : un train au départ de Paris-gare de l'Est vous conduit à la première correspondance, Munich, où vous achèterez un billet pour Arad, et ainsi de suite jusqu'à Istanbul.

En voiture

- **Par l'Italie et la Grèce**. L'itinéraire le plus court ! De Milan, rendez-vous à Ancône (1400 km de Paris) ou Bari (1800 km env. de Paris), sur la côte Adriatique, d'où des ferries partent pour Igoumenitsa, située à 1100 km env. d'Istanbul (24 h de traversée depuis Ancône, 10 h depuis Bari). Info. et rés. sur www.aferry.fr.

- **Par l'Allemagne**. De Paris, comptez 3100 km env., *via* Strasbourg, la Bavière, l'Autriche, la Hongrie, la Roumanie et la Bulgarie.

En autocar

Actuellement, aucun autocar ne mène à Istanbul au départ de la France.

Voyage organisé

Les voyagistes proposent des séjours à Istanbul à des tarifs avantageux, seuls ou couplés avec la visite de la Cappadoce ou du pays tout entier, dans des hôtels de moyenne catégorie et haut de gamme. Rens. auprès des agences de voyages ou du bureau de tourisme de Turquie *(p. 88)*, qui en édite la liste complète, remise à jour chaque année. Le voyage organisé prend de multiples formes, du tout planifié (avec guide, transport en autocar, soirée dans un cabaret et après-midi shopping) au tout culturel, en passant par le séjour libre (avion + hôtel + généralement transfert de l'aéroport à l'hôtel + éventuellement voiture). Pour suivre ses coups de cœur, choisissez plutôt le séjour libre. Comptez env. 400 € pour l'avion A/R de Paris, deux nuits avec petit déjeuner dans un hôtel 3 étoiles et les transferts, env. 550 € dans un 5 étoiles. Au cœur de l'hiver, ces tarifs peuvent afficher une décote de 15 à 20 %.

Circuits et séjours

Fram ☎ 0826.466.300, www.fram.fr. Plusieurs formules, circuits en Turquie et w.-e. à Istanbul l'été.

Jet Tours ☎ 01.56.77.14.00, www.jettours.com. Week-ends à Istanbul : vols + hôtels.

Marmara ☎ 01.44.63.64.00, www.marmara.fr. Séjours de 3, 4 et 7 nuits avec vol, hôtel et petit déjeuner avec possibilité d'excursions.

Nouvelles Frontières ☎ 0825.000.825, www.nouvelles-frontieres.fr. Formules w.-e., circuits, nuits d'hôtels en forfait ou à la carte. Également des vols secs à prix intéressants.

Pacha Tours ☎ 01.40.06.88.00, www.pachaonline.com. Formules w.-e., mini-semaines et combinés avec des circuits. Circuit « La Turquie au volant » avec location de voiture.

Voyages culturels

Clio, 27, rue du Hameau, 75015 Paris ☎ 0826.101.082, www.clio.fr. Conférenciers de haute volée. Circuit de 8 j. : « Istanbul byzantine et ottomane ».

Intermèdes, 60, rue La Boétie, 75008 Paris ☎ 01.45.61.90.90, www.intermedes.com. Circuit culturel (7 ou 9 jours), circuits combinés avec Le Caire.

Argent

● **Monnaie**. En 2003, la Turquie est sortie d'une grave crise économique au cours de laquelle le taux d'inflation atteignait jusqu'à 80 % par an. La plus petite transaction se chiffrant en millions ou en milliards, les autorités ont décidé en 2005 d'enlever six zéros à la livre turque (TL), donnant ainsi naissance à la **nouvelle livre turque** ou yeni türk lirası (YTL), divisée en 100 yeni kuruş (Ykr). Depuis 2006, seule l'YTL est en circulation. Il existe des billets de 5, 10, 20, 50 et 100 YTL, ainsi que des pièces de 1, 5, 10, 25, 50 Ykr et 1 YTL. **1 € = 1,8 YTL.** À noter que l'YTL devrait perdre son adjectif de « nouvelle », et redevenir TL à brève échéance. Les anciennes coupures restent échangeables aux guichets de la Merkez Bankası (Banque centrale) jusqu'en 2015.

● **Cartes bancaires**. Les cartes Visa et Eurocard/MasterCard sont acceptées par la plupart des commerces à vocation touristique (commission d'env. 1 € à prévoir ; variable selon les banques). La ville dispose d'un grand nombre de distributeurs automatiques de billets. Attention, les cartes American Express et Diners Club, moins répandues, sont principalement acceptées dans les hôtels et boutiques de luxe.

Demandez à votre agence le numéro pour faire opposition. **Carte Bleue Visa**

pratique

Votre budget

Même si la vie est beaucoup plus chère à Istanbul que dans le reste de la Turquie, elle reste inférieure à celle de l'Europe occidentale ou du Québec. Les entrées dans les grands monuments et les verres pris à proximité des lieux touristiques risquent cependant de grever quelque peu votre budget. Voici nos fourchettes pour les hôtels et restaurants :

● **Hôtels.** ▲▲▲▲ de 150 à plus de 250 € ; ▲▲▲ de 100 à 150 € ; ▲▲ de 45 à 100 € ; ▲ moins de 45 €. Comptez 30 % de réduction en hiver, au début du printemps et à la fin de l'automne.

● **Repas.** ♦♦♦ de 30 à 60 € ; ♦♦ de 20 à 30 € ; ♦ moins de 20 €.

● **Transports.** Jeton de tramway, de métro ou du funiculaire Kabataş-Taksim : 1,30 YTL ; traversée en bateau jusqu'à Üsküdar : 1,30 YTL.

● **Musées.** Entrée à Sainte-Sophie ou à Topkapı : 10 YTL.

●●● *Voir le carnet d'adresses, p. 140.* ●

(numéro vert international) ☎ 0800.90.11.79, www.visa.com. **Eurocard/MasterCard** ☎ 0892.69.92.92, www.mastercardfrance.com. **American Express** ☎ 01.47.77.72.00, www.americanexpress.fr. **Diners Club** ☎ 0820.820.536, www.dinersclub.fr.

● **Chèques de voyages.** Toutes les banques disposant d'un bureau de change acceptent les *travellers cheques* (Visa, American Express, etc.). Les postchèques sont pratiques aussi, mais il faut subir les files d'attente dans les bureaux de poste.

Formalités

● **Papiers.** Carte d'identité nationale ou passeport en cours de validité (pas de visa pour les ressortissants européens, suisses et canadiens en cas de séjour inférieur à trois mois). Lors du passage en douane, les titulaires d'une carte d'identité recevront un papier tamponné d'un visa qui sera réclamé à la sortie du territoire. **Consulat.** À Paris. 184, bd Malesherbes, 75017 Paris ☎ 01.56.33.33.33, http://perso.orange.fr/tcparbsk. **Ambassades.** À Bruxelles. 4, rue Montoyer, 1000 ☎ (02) 513.40.95 (ambassade), (02) 548.93.40 (consulat), www.turkey.be. À Genève. 20, route de Prébois, 1215 ☎ (022) 710.93.60. À Ottawa. 197, Wurtemburg Street, Ontario K1N 8L9 ☎ (613) 789.34.42, www.turkishembassy.com.

● **Douanes.** Dans le cadre de son union douanière avec l'U.E., la Turquie a supprimé tous les droits de douane et taxes sur l'entrée de produits provenant de l'Union. Gardez la facture de vos tapis neufs. L'exportation d'antiquités est strictement interdite et sévèrement réprimée. Rens. ☎ 0820.024.444, www.douane.gouv.fr.

● **Voiture.** Le permis de conduire national et la carte verte sont exigés à la frontière.

● **Animaux.** Un certificat de vaccination antirabique (délivré dans les 15 jours précédant la date de départ) et un certificat de bonne santé sont exigés à la frontière.

Santé

Aucune vaccination n'est exigée. Il est conseillé d'emporter un traitement antidiarrhéique, car les changements de climat et de nourriture peuvent temporairement déranger le système digestif. Pensez aussi à vous protéger du soleil par une crème efficace, écran total en été. Personne ne boit jamais d'eau du robinet, désagréable au goût et polluée, dit-on. ●

Sur place

© Arnaud Galy

Arrivée

En avion

- **Istanbul Atatürk Airport**. À 20 km au S-O d'Istanbul, à Yeşılköy ☎ (0212) 465.55.55, www.ataturkairport.com. Bureau d'informations touristiques, guichets de change, distributeurs de billets et agences de location de véhicules. **Pour rejoindre le centre**, le plus simple et le plus rapide est de prendre un taxi à la sortie de l'aéroport (30 min. env.; comptez 30-40 YTL). Pour éviter une «arnaque» fréquente (taximètres en tarif nuit par exemple), renseignez-vous auprès du bureau d'informations touristiques de l'aéroport sur le montant de la prise en charge (1,73 YTL en journée; 2,59 YTL de minuit à 6 h). Demandez au conducteur de prendre la route qui longe la mer de Marmara, vous verrez ainsi les murailles maritimes puis la mosquée Bleue, Sainte-Sophie et la pointe du Sérail. Le métro ou le bus de la compagnie Havaş sont bien plus économiques. Le métro vous conduira jusqu'à Aksaray **A4** *(toutes les 10 min., 6 h-minuit)*. En descendant à Zeytinburnu, une correspondance avec le tramway vous permettra de rallier plus rapidement le centre historique (compter env. 1 h de trajet en tout; moins de 3 YTL). Le bus

◀ Le vieux tramway sillonnant l'Istiklal Caddesi. Les jeunes Stambouliotes le prennent en marche, en s'accrochant où ils le peuvent, jusqu'à former des grappes humaines...

Havaş rejoint Taksim *(p. 115)* C2 (*toutes les 30 min., 7h-22h30*; trajet d'env. 1 h; env. 10 YTL).

- **Aéroport Sabiha Gökçen**. À env. 50 km E du centre, côté asiatique, à Pendik ☎(0216) 585.50.00, www.sgairport.com. Quelques vols de compagnies *low cost*, en provenance d'Europe occidentale, atterrissent ici. **Rejoindre le cœur historique** d'Istanbul en taxi est onéreux (75-90 YTL; 1 h à 1h30 de trajet). Préférez le bus AirportHavaş (7 YTL) qui va à Kadıköy **hors pl. par E4** (env. 1 h), d'où vous prendrez le bateau pour Eminönü **G5** (15 min. de traversée, *p. 111*). Le bus conduit à Levent (numéro E3, 2,60 YTL), relié à Taksim **C2** par métro *(p. 115)*.

En bateau

Les paquebots de croisière accostent à la **gare maritime de Karaköy** (Karaköy Iskelesi, *p. 111*) C3, mais l'endroit risque d'être en chantier avec le projet *Galataport (p. 32)*. En appareillant en **gare maritime de Yenikapı A4**, il faudra prendre un train de banlieue pour rejoindre le centre (gare de Sirkeci C3, *p. 111*).

En autocar

- **Esenler Otogar** hors pl. par **A2**. Lignes européennes ☎(0212) 658.00.36. De la gare routière, vous rejoindrez le centre en 30 min. env. en empruntant d'abord le métro, puis puis le tramway (correspondance à Aksaray **A4**) Certaines compagnies assurent elles-mêmes la liaison avec le centre-ville. Les cars vous conduiront alors jusqu'à Aksaray **A4**, Laleli **F6**, Kadıköy **hors pl. par E4** ou à la gare ferroviaire de Sirkeci **C3** *(p. 111)*.

- **Harem Otogar** D4. Lignes anatoliennes ☎(0216) 333.37.63. Sortez de la gare routière et allez prendre le bateau jusqu'au quartier de Karaköy **C3**.

En train

- **Gare de Sirkeci** C3. Lignes en provenance de toute l'Europe ☎(0212) 527.00.50 (info.) et ☎(0212) 520.65.75 (rés. lignes internationales).

- **Gare de Haydarpaşa** hors pl. par **E4**. Lignes d'Ankara et d'Anatolie ☎(0216) 348.80.20 (info.) et ☎(0216) 336.44.70 (rés.), www.tcdd.gov.tr. Un bateau de l'embarcadère proche de la gare vous conduira en 15 min. à Karaköy **C3** *(p. 111)*.

En voiture

Si vous venez d'Europe et d'Edirne, vous arrivez devant les murailles terrestres. Évitez de pénétrer tout de suite dans la ville historique

pratique

S'orienter

Si vous vous égarez dans les ruelles du centre historique ou de Beyoğlu, marchez tout droit dans n'importe quelle direction. Vous retrouverez rapidement une grande artère, un monument important, un rivage quelconque (Bosphore ou mer de Marmara), ou une échappée sur la ville qui vous servira de repère. La ville historique est coupée en son centre par **Divan Yolu G6/C4** que prolongent **Yeniçeriler G6** et **Ordu Cad F6**. Du carrefour d'**Aksaray A4**, **Atatürk Bulvarı F5/F6** permet de rejoindre la Corne d'Or et les quartiers européens de **Beyoğlu C2** ou de **Taksim C2**. Toujours depuis Aksaray, **Mustafa Kemal Cad. F6** rejoint la mer de Marmara et débouche dans **Kennedy Cad. B4/C4**, qui longe tout le sud de la ville historique. ●

et prenez plutôt le boulevard qui longe les remparts. Vers le S, il conduit vers la mer de Marmara ; vers le N, il traverse la Corne d'Or, dessert les quartiers européens et le premier pont suspendu sur le Bosphore (Boğaziçi Köprüsü). Si vous arrivez d'Anatolie ou de la partie asiatique en général, vous traverserez le Bosphore sur l'un des deux ponts suspendus (Boğaziçi Köprüsü ou Fatih Sultan Mehmet Köprüsü).

Change

Les banques et les comptoirs de change sont très nombreux, particulièrement autour de la gare de **Sirkeci** C3 *(p. 111)*, du **Grand Bazar** G6 *(p. 90)* et le long de l'artère qu'emprunte le tramway (Divan Yolu, Yeniçeriler Cad. et Ordu Cad. **G6/F6**). Tous les bureaux de poste acceptent les devises et les *travellers cheques*. Évitez de changer de l'argent dans les banques, la commission étant plus élevée et l'attente parfois longue. Préférez-leur les comptoirs de change (ils ferment tard dans la soirée), par exemple sur Ordu Cad. **F6**, dans le quartier de **Laleli A4**, où ils jouent à touche-touche. Si tout est fermé, il reste le change des grands hôtels, à un taux prohibitif. Conservez vos bordereaux de change et vos tickets de DAB pour reconvertir vos livres turques avant de partir. Ces reçus bancaires peuvent aussi vous être demandés pour justifier que vos souvenirs ont bien été acquis avec de l'argent légalement changé.

- **Cartes bancaires**. Les distributeurs de billets sont pléthore. Ils acceptent en général tous les types de cartes (Visa, MasterCard, American Express, etc.), et les instructions sont données en plusieurs langues. En plus d'un pourcentage d'env. 2 % sur la somme retirée, votre banque prélèvera sur votre compte une taxe forfaitaire (env. 3,50 € ; montant variable) à chaque opération. En conséquence, mieux vaut retirer des sommes importantes à chaque fois.

Courrier

- **Bureaux de poste** *(ouv. lun.-ven. 8 h-20 h)*. Ils sont repérables à leur panneau jaune où est inscrit PTT. Les boîtes à lettres, de couleur jaune, sont quasi inexistantes (vous en trouverez une près du kiosque PTT, en face de l'entrée de Sainte-Sophie) pour des raisons de sécurité.

- **Poste restante**. Le courrier doit être adressé à la poste centrale (Merkez Postanesi) avec la mention « poste restante ». Il est obtenu sur simple présentation d'une pièce d'identité.

Cybercafés

Ils sont rares mais vous trouverez des centres téléphoniques et informatiques au S de **Divan Yolu** et d'**Ordu Cad. G6/F6**, ainsi que dans les rues perpendiculaires à **Istiklal Cad. C2** *(p. 115)*. Comptez env. 5 YTL pour 30 min. de connexion.

Festivals et fêtes

Fêtes laïques

En dehors du 1er janvier, les fêtes chômées rappellent des événements de l'histoire contemporaine de la Turquie. Ces jours-là, magasins et administrations sont fermés.

- **23 avril**. Fête de la Souveraineté nationale et de l'Enfance.
- **19 mai**. Fête de la Commémoration d'Atatürk, de la Jeunesse et des Sports.
- **30 août**. Fête de la Victoire.
- **29 octobre**. Fête de la République turque.

Fêtes religieuses

Les dates des grandes fêtes religieuses varient en fonction du calendrier musulman.

- **La fête du Sucre** *(Şeker Bayramı)*. Fin du ramadan (2 oct. 2008, 21 sept. 2009).
- **La fête du Sacrifice** *(Kurban Bayramı)*. Commémore

le sacrifice d'Isaac par son père Abraham (9 déc. 2008, 28 nov. 2009).

- **Début du ramadan.** 2 sept. 2008, 22 août 2009.

Festivals

Le calendrier est ponctué de grands festivals internationaux placés sous l'égide de la Fondation des arts et de la culture d'Istanbul : **Festival international de cinéma** (1re quinzaine d'avr.) ; **Festival international de théâtre** (fin mai-début juin) ; **Festival international de musique** (déb. juin-début juil., *p. 27*) ; **Festival international de jazz** (juil.) ; **Biennale internationale des arts plastiques** (sept.-oct.). Les représentations (théâtre, ballets, opéras et films) ont lieu au Centre culturel Atatürk (Kültür Sarayı, *p. 115*) **C2** et à Sainte-Irène **C4** (concerts ; *p. 56*). En **avril-mai** a lieu la **Fête de la tulipe** dans le parc d'Emirgan *(p. 138)* **hors pl. par E1**, un spectacle qui rappellera les fastes du temps d'Ahmet III (1703-1730). Enfin, un **son et lumière** (en anglais, en allemand, en turc et en français selon les jours) est donnée en saison à la **mosquée Bleue C4** *(p. 78)*.

Hébergement

●●● *Voir le carnet d'adresses p. 142.*

Il existe une grande diversité d'hébergements, mais il est parfois difficile de trouver une chambre en haute saison. Sur le site **www.istanbul.com**, vous trouverez une sélection d'hôtels classés par catégorie avec des liens pour réserver en ligne.

Les hôtels sont classés de 1 à 5 étoiles. Les chambres dans les hôtels ★ et ★★ sont dépourvues de baignoire, et possèdent au mieux une douche. À partir de ★★★, vous bénéficierez d'une salle de bains, d'une TV et parfois d'une piscine. Au-delà, c'est le grand luxe. Les hôtels de charme, installés dans des « demeures ottomanes » plus ou moins authentiques, ont essaimé dans le centre historique. Leur confort correspond à un hôtel ★★★ ou ★★★★.

En ayant réservé *via* un voyagiste, vous logerez sûrement à **Sultanahmet G6/C4** *(p. 68)*, proche des grandes curiosités. Les hôtels de luxe (★★★★★) se concentrent aux alentours de **Taksim C2** *(p. 115)* et dans le quartier de **Maçka D1** ; les établissements de catégorie moyenne (★★★ et ★★★★) pullulent à **Aksaray A4** et aux environs de la **Laleli Camii F6** ; près de la gare de **Sirkeci C3** *(p. 111)*, enfin, se cachent des établissements modestes, et généralement bruyants.

hébergement

Astuces de routards

Dénicher une chambre soi-même ne pose pas trop de problèmes (aucune difficulté hors saison) à condition de s'y prendre assez tôt dans la journée. Sachez que les prix (petit déjeuner inclus) sont obligatoirement affichés à l'entrée sur un tableau (souvent en $ US et en €). Demandez toujours à voir la chambre au préalable pour éviter de trouver un lit aux draps douteux et un cadre sordide. Évitez les étages inférieurs, souvent bruyants. Enfin, testez la plomberie, en sachant toutefois que les meilleurs établissements ne sont pas à l'abri de bruits de tuyauterie et de problèmes d'alimentation en eau courante, surtout en été. Si vous avez le sommeil léger, évitez les rues passantes et la proximité immédiate d'une mosquée. ●

Horaires

• **Administrations et banques**. *Ouv. lun.-ven. 8h30-12h-12h30 et 13h30-17h ou 17h30.*

• **Magasins**. En général, *ouv. lun.-sam. 9h-13h et 14h-19h.*

• **Mosquées**. Les mosquées importantes sont *ouv. de l'aube à la tombée de la nuit.* Celles des quartiers excentrés sont généralement fermées en dehors des heures de culte.

• **Musées**. Ils sont tous fermés le lun. (le jeu. aussi pour les palais du Bosphore), sauf le sérail de Topkapı *(p. 53)*, dont le jour de fermeture est le mar. En général, les principaux musées ou Sainte-Sophie *(p. 69)*, *ouv. entre 9h30-10h et 17h*, ne délivrent plus de billets après 16h ou 16h30.

• **Restaurants**. Leurs créneaux horaires sont stricts : déjeuner servi entre 12h et 13h30, dîner entre 19h et 21h30.

À savoir : le ramadan n'affecte pas les horaires d'ouverture des administrations ou des magasins, et les restaurants restent ouverts en journée.

Langue

Les commerçants, les restaurateurs et même les habitants s'adresseront à vous en anglais, plus rarement en allemand. Le français est moins répandu.

••• *Voir le lexique, p. 200.*

Médias

• **Presse française**. *Libération* et *Le Monde* arrivent le lendemain de leur parution. Vous les trouverez dans les kiosques en face de Sainte-Sophie C4 *(p. 69)*, à la station supérieure du Tünel C3 *(p. 116)*, le long d'Istiklal Cad. C2 *(p. 115)* et au consulat de France C2 *(p. 141)*.

• **Presse turque**. Les grands quotidiens nationaux sont édités à Istanbul : *Cumhuriyet*, *Hürriyet* et *Sabah* sont les plus lus, *Tan* et *Günaydın* appartiennent à la presse dite à sensation, *Güneş* représente la tendance libérale, *Tercüman* et *Türkiye*, les fondamentalistes musulmans. *Cumhuriyet* est sans doute le meilleur, c'est en tout cas le seul qui rechigne à utiliser les couleurs criardes et les photos d'un érotisme très oriental. Le *Turkish Daily News*, quotidien turc édité en anglais à Ankara, vous informera sur la vie politique turque, une revue de presse nationale et les programmes des cinémas. *Kültür Sanat Haritası* recense les manifestations culturelles (mensuel en vente dans les kiosques ; 3 YTL).

• **Radio**. Si vous le pouvez, allez vous promener sur la bande FM, vous y entendrez des musiques variées : variétés anglo-saxonnes bien sûr, mais aussi et surtout de la pop ou de l'électro *world made in Turkey (p. 30)*.

• **Télévision**. Au réseau national (TRT 1, TRT 2, TRT 3 et TRT 4) s'ajoutent des dizaines de chaînes privées. Ces dernières se prétendent généralistes (Show TV, ATV, TGRT), mais nombre d'entre elles (Kanal 7, Kanal D, Kral, etc.) s'apparentent à des robinets à clips ou distillent des séries américaines, turques et allemandes en non-stop. Ici, de Cary Grant à l'inspecteur Derrick en passant par Catherine Deneuve, tout le monde parle turc. Il y a même une version turque de CNN ! TRT 2 diffuse des informations en anglais et en allemand t.l.j. après son journal de 22h. La plupart des hôtels de standing reçoivent TV5, parfois Euronews et Arte.

Politesse

• **L'étranger : un hôte**. À Istanbul, les gens se parlent, s'apostrophent et ne s'ignorent pas. L'étranger est un hôte auquel il convient de laisser un bon souvenir. On vous abordera donc en vous posant des questions. Ce n'est pas de l'indiscrétion, seulement une manifestation d'intérêt à votre égard. Attention, faites toutefois preuve de tact avec les sujets qui fâchent : la question kurde, l'hostilité de la France à l'adhésion de la Turquie à l'U.E., le génocide arménien et la loi sanctionnant sa négation en France...

• **La visite des mosquées.** N'oubliez pas de vous déchausser avant d'entrer et laissez vos chaussures à l'extérieur sans crainte. Les femmes devront se couvrir bras et jambes, et mettre un foulard dans certaines mosquées moins touristiques; les hommes prévoiront un pantalon. De manière générale, évitez de visiter les mosquées au moment de la prière (aube, midi, milieu de l'après-midi, coucher du soleil et nuit).

• **La période de jeûne.** Le ramadan est observé à Istanbul de manière variable selon les quartiers. En général, il est assez bien respecté à Üsküdar **D3/E3** *(p. 132)* et dans l'O de la ville, particulièrement aux alentours de la mosquée de Fatih **A3** *(p. 101)* et de la Kariye Camii **A3** *(p. 106)*. Ici, évitez les comportements trop ostentatoires, comme de manger dans la rue. En revanche, au fur et à mesure que l'on va vers les quartiers européens, les observants deviennent moins nombreux. En fait, jamais personne ne vous lancera des pierres en vous voyant fumer ou boire un thé à la terrasse d'un café !

• **Les photos.** Prenez les précautions que le tact et le simple bon sens imposent, comme de ne pas photographier les gens à leur insu ou les femmes voilées.

Pourboires

Dans les taxis, même si les chauffeurs tentent de faire croire le contraire aux étrangers, les Turcs ne laissent pas de pourboire et se limitent à arrondir au chiffre supérieur. Ne proposez rien non plus au chauffeur d'un taxi collectif. Dans les restaurants et les cafés, au hammam et chez le barbier, le service est compris, mais il est d'usage de donner un pourboire (10 à 20 % de la note). Offrez un peu d'argent à l'ouvreuse, ainsi qu'à la bonne âme qui vous aura permis de visiter un monument peu connu.

Restaurants

Les Turcs classent les restaurants en deux catégories : ceux qui possèdent la licence leur permettant de servir de l'alcool et les autres.

••• *Voir également le carnet d'adresses p. 142 et notre rubrique Gastronomie p. 38.*

• **Les établissements sans alcool.** En dehors de quelques restaurants (dans le voisinage immédiat d'une mosquée notamment), ce sont très souvent les moins chers. Ils prennent diverses appellations selon leurs spécialités : *büfe* (plats variés à choisir en cuisine ou en vitrine), *kebapçı* (grillades), *pideci* ou *lahmacun* (pizzas). Ils sont très pratiques pour un déjeuner rapide, mais n'espérez pas y faire l'expérience culinaire du siècle, surtout aux alentours de la mosquée Bleue...

• **Les établissements avec alcool** (*lokanta* ou *balık*, si spécialisés dans le poisson). Ils offrent des plats mieux cuisinés et plus variés et possèdent une carte des vins. Ils sont évidemment plus chers que les précédents, surtout s'agissant des *balık restoran* *(p. 39)*. Leur cadre est plus calme et propice à la conversation ou au tête-à-tête.

Les *meyhane* ou *taverna* se rencontrent souvent près des marchés aux poissons (à Kumkapı **F6**, à Galatasaray **C2** ou à Beşiktaş **D1/E1** par exemple, *p. 145 à 149*). Ces restaurants proposent un choix varié de *meze* (entrées) servis sur de grands plateaux. On fait son choix, puis on picore de plat en plat en buvant du *rakı*.

Santé

Dentistes, médecins et pharmaciens ne manquent pas. Demandez une adresse à votre hôtel ou à l'office du tourisme. En cas de problème plus grave, les hôpitaux étrangers d'Istanbul sont sérieux et bien équipés *(p. 141)*. La rage existe encore en Turquie. Même si le problème se limite à l'Anatolie, le pays est régulièrement frappé depuis ces dernières années par des épidémies de grippe aviaire.

lexique

Quelques mots de turc

La réforme de 1928 a remplacé les caractères arabes par l'alphabet latin. Cependant, s'il est aisé de déchiffrer panneaux et pancartes, comprendre leur signification n'est pas une mince affaire ! Le turc ne possède en effet aucun fonds commun avec le français ; la onzième langue du monde, utilisée par plus de 120 millions de personnes des Balkans à la Chine, apparaît souvent incompréhensible aux non-initiés. Voici en avant-goût, quelques règles de prononciation : c = dj, ç = tch, e = tantôt « é », tantôt « è », g = gu, ğ ne se prononce pas mais allonge la voyelle précédente, h = notre « h » muet, ı = un son entre le « i » et le « é », ö = eu, ü = u, Ş = ch, u = ou, le « s » est toujours dur, mais ne se prononce jamais comme notre « z ».

Salut	**Selam, merhaba**
Bonjour (le matin)	**ünaydın**
Bonsoir	**iyi akşamlar**
Bonne nuit	**iyi geceler**
Au revoir	**hoşça kalın**
Bienvenue	**hoş geldiniz**
(à quoi on répond	**hoş bulduk)**
Comment allez-vous ?	**nasılsınız ?**
Excusez-moi	**özür dilerim**
Il y a	**var**
Il n'y a pas	**yok**
Qu'y a-t-il ?	**ne var ?**
Je ne comprends pas	**anlamıyorum**
Je vous remercie	**teşekkür ederim**
Parlez-vous français ?	**fransızca konuşuyor musunuz ?**
Je suis français	**fransızım**
Où est-ce ?	**nerede ?**
Quand ?	**ne zaman ?**
Combien ?	**kaç para ?**
Que voulez-vous ?	**ne istiyorsunuz ?**
Je veux	**istiyorum**
C'est trop cher	**çok pahalı**
Ça ne marche pas	**çalişmiyor**
C'est très joli	**cok güzel**
Est-ce loin/près ?	**uzak mı/yakın mı ?**
S'il vous plaît	**lütfen**
Aidez-moi	**yardım edin**
Bon appétit	**afiyet olsun**
Merci	**teşekkürler, mersi**
Pardon	**özür dilerim**

Mots usuels

À droite	**sağda**
À gauche	**solda**
Argent	**gümüş**
Avenue	**caddesi (abrégé Cad.)**
Banque	**banka**
Bateau	**vapur**
Bijou	**kuyum**
Billet	**bilet**
Change	**kambiyo**
Cigarette	**sigara**
Cuir	**deri**
Cuivre	**bakır**
Entrée	**giriş**
Essence	**benzin**
Fermé	**kapalı**
Gare	**istasyon**
Hôpital	**hastane**
Ici	**burada**
Jeton	**jeton**
Journal	**gazete**
Librairie	**kitabevi**
Mosquée	**cami**
Non	**hayır**
Or (métal)	**altın**
Oui	**evet**
Ouvert	**açık**
Pardon	**pardon**
Pharmacie	**eczane**
Poste	**postane**
Prix	**fiyat**
Rue	**sokak (abrégé sok.)**
Sortie	**çikiş**
Stop !	**dur !**
Tapis	**halı**
Taxi	**taksi**
Téléphone	**telefon**
Timbre	**pul**
Tout droit	**dosdoğru**
Voiture	**araba**

Le temps

Après-midi öğleden sonra
Aujourd'hui bugün
Demain yarın
Heure saat
Hier dün
Jour gün
Semaine hafta
Mois ay
Matin sabah
Midi öğle
Minuit gece yarısı
Nuit gece
Soir akşam
Quelle heure est-il ? saat kaç ?
À quelle heure ? saat kaçta ?
Lundi pazartesi
Mardi salı
Mercredi çarşamba
Jeudi perşembe
Vendredi cuma
Samedi cumartesi
Dimanche pazar

À l'hôtel

Hôtel otel
Eau chaude sıcak su
Petit déjeuner kahvaltı
Une chambre bir oda
Une chambre pour deux ki kişilik bir orda
Une chambre avec salle de bains banyolu bir oda

Au restaurant

Agneau kuzu eti
Assiette tabak
Aubergine patlıcan
Bifteck bonfile
Bière bira
Bœuf sığır eti
Boire içmek
Boulettes köfte
Bouteille şişe
Brochette şiş kebap
Café kahve
Courgette kabak
Couteau bıçak
Cuiller kaşık
Dessert tatlı
Dîner akşam yemeği
Eau su
Fourchette çatal
Fromage peynir
Fruit meyva
Glace dondurma
Glaçon buz
Huile zeytin yağı
Jus de fruit meyva suyu
Manger yemek
Menu yemek listesi
Mouton koyun eti
Note hesap
Pain ekmek
Poisson balık
Potage çorba
Poulet piliç
Restaurant lokanta
Salade salata
Sel, poivre tuz, kara biber
Thé çay
Verre bardak
Viande et
Vinaigre sirke
Vin blanc beyaz şarap
Vin rouge kırrmızı şarap

Les nombres

Zéro sıfır
Un bir
Deux iki
Trois üç
Quatre dört
Cinq beş
Six altı
Sept yedi
Huit sekiz
Neuf dokuz
Dix on
Onze on bir
Douze on iki
Vingt yirmi
Vingt et un yirmi bir
Trente otuz
Quarante kırk
Cinquante elli
Soixante altmış
Soixante-dix yetmiş
Quatre-vingts seksen
Quatre-vingt-dix doksan
Cent yüz
Mille bin
Million milyon ●

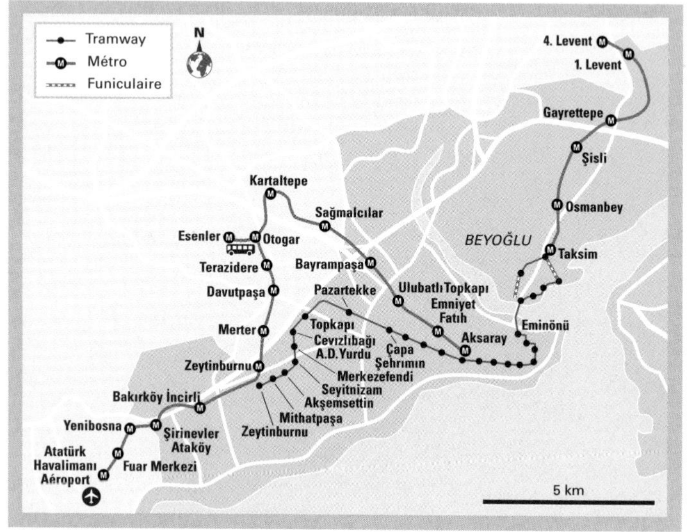

▲ Carte des transports à Istanbul

Sécurité

Le seul danger provient des automobilistes, qui tolèrent tout juste l'existence des piétons. Après un coup d'avertisseur, il est conseillé de se mettre de côté, quitte à devoir se plaquer contre un mur. Empruntez les passages souterrains ou les passerelles pour traverser les grandes avenues. En dehors de cela, vous n'avez rien à craindre. La ville est sûre, y compris la nuit, même si l'absence ou la faiblesse de l'éclairage peut la rendre un peu inquiétante.

Téléphone

Évitez de téléphoner de votre hôtel, qui surfacturera votre communication. Allez plutôt dans les cabines. Elles sont en général regroupées par dizaines et vous ne devriez pas attendre longtemps. La nuit, vous serez peut-être amené à composer votre numéro à la lueur d'un briquet (éclairage défaillant ou inexistant). Téléphoner depuis l'un des centres téléphoniques qui pullulent un peu partout dans la ville vous coûtera moins cher ; le paiement se fait au guichet.

• **Cabines.** Les cabines publiques fonctionnent avec des cartes, en vente dans les kiosques et les guérites installés à proximité. Les cartes Türk Telekom ont 30, 60 ou 100 unités. Les cartes prépayées, issues d'opérateurs privés (avec code pin), offrent une plus grande durée de communication à prix égal. Une réduction de 35 % sur l'international s'applique de 22 h à 9 h et le dim. toute la journée.

• **Depuis la France, la Belgique et la Suisse.** Composez le 00 (international) + le 90 (Turquie) + l'indicatif 212

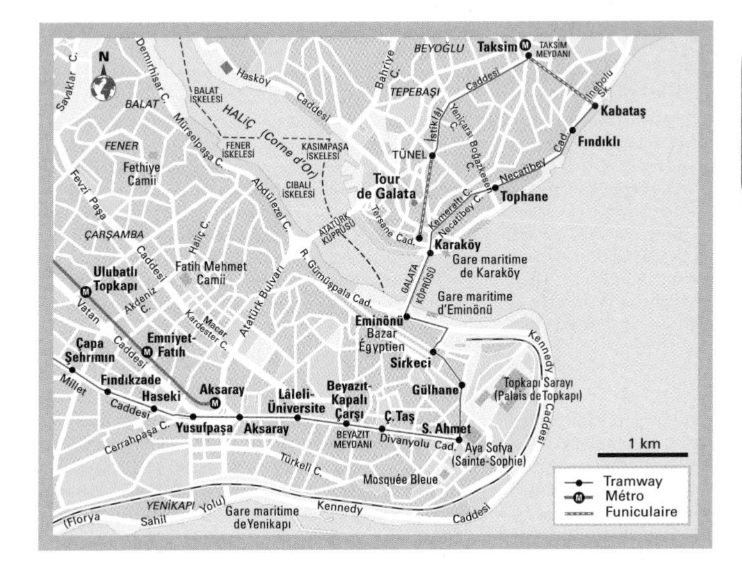

(rive européenne) ou 216 (rive asiatique) + le numéro de votre correspondant. Depuis le Canada, composez le 011 au lieu du 00.

- **D'Istanbul.** Composez le 00 + l'indicatif du pays (France 33, Belgique 32, Luxembourg 352, Suisse 41, Canada 1) + le numéro de votre correspondant (sans le 0 initial).
- **À Istanbul.** Composez le numéro de votre correspondant à 7 chiffres, précédé d'un indicatif (0212 pour le côté européen, 0216 pour le côté asiatique) uniquement si vous téléphonez d'une rive à l'autre.

Transports

Pour vous déplacer dans cette ville très étendue, vous utiliserez une kyrielle de moyens de transport, allant du taxi au tramway en passant par le bateau ou le bus. Aucun ne grèvera votre budget.

Bateau

Vous l'emprunterez souvent, pour découvrir le Bosphore ou la rive asiatique. Pendant la traversée, on vous proposera du thé, du café, du jus d'orange ou des friandises, parfois même de cirer vos chaussures. L'utilisation du bateau est très facile. Selon leur destination, ils partent des différents embarcadères situés près du pont de Galata, à **Eminönü G5** ou à **Karaköy C3** *(p. 111)*. Un panneau, à l'entrée du bateau, mentionne les arrêts intermédiaires et la destination finale. Les jetons (1,30 YTL) que vous glisserez dans les tourniquets s'achètent aux guichets des débarcadères.

Métro et funiculaires

Il existe deux lignes de métro *(ouv. 6h15-0h30 env.)*. La première relie Aksaray **A4** à la

bon plan

Forfait transport

L'***akbil*** est un porte-monnaie électronique en forme de pile bouton en vente dans les stations de métro et les kiosques portant la mention Akbil Satiş Nokatsı (sur Ankara Cad. à Eminönü **G5/G6** *(p. 111)*, sur Divan Yolu à Sultanahmet **G6**, au nord de la place de Taksim **C2**, *p. 115*). Rechargeable à votre convenance, il offre une petite réduction dans tous les transports en commun, bateaux, bus, tramway, métro, funiculaires et trains de banlieue (côté européen). Son principal atout est de ne facturer qu'un seul trajet en cas de correspondance : après une première validation, vous entendrez un son différent lorsque vous l'appliquerez à l'emplacement prévu sur le tourniquet. Plusieurs personnes peuvent utiliser le même *akbil*. En fin de séjour, la caution de 6 YTL est remboursable sur présentation du reçu. ●

gare routière (Otogar) et à l'aéroport Atatürk (Havalimani). Vous ne l'utiliserez que pour vous rendre aux remparts, à la Mihrimah *(p. 106)*, puis à la Kariye Camii **A2** *(p. 106)*. Son prolongement vers la mer de Marmara (Yenikapı **A4**) est en chantier.

La seconde ligne dessert les quartiers chics, côté européen. Elle permet d'aller de Taksim *(p. 115)* à Levent *via* Şişli. Vers 2010, cette dernière sera prolongée vers le N et surtout vers le S : de Taksim, il deviendra alors possible de rejoindre les rives de la mer de Marmara en traversant la Corne d'Or et l'ensemble de la ville historique !

La première ligne de métro nécessite des tickets (1,30 YTL) ; la seconde des jetons (les mêmes que ceux du tramway, 1,30 YTL).

Le **Tünel** *(p. 117)* n'est pas réellement un métro, mais un funiculaire qui grimpe la **colline de Galata** *(p. 116)* et relie **Karaköy C3** *(p. 111)* à **Istiklal Cad. C2** *(p. 115)*. Il fonctionne *t.l.j. de 7h (7h30 le dim.) à 21h*. Depuis 2006, un funiculaire relie **Kabataş D2** à **Taksim C2** *(p. 115)*, *de 6h15 à minuit*, 1,30 YTL). Le paiement s'effectue avec les mêmes jetons que ceux du tramway et du métro.

Tramway

Deux lignes sont en service côté européen. La première *(ouv. 7-h-21 h)*, plus pittoresque qu'utile, relie la station supérieure du Tünel **C3** *(p. 117)* à la place de Taksim **C2** *(p. 115) via* Istiklal Cad. Le billet est un simple ticket de bus que l'on achète en tête de station (1,30 YTL).

La seconde *(ouv. 6h-23h50 env.)*, très utile, va de **Kabataş D2** *(p. 115)*, bientôt prolongée jusqu'à Beşiktaş, sur les rives du Bosphore, jusque dans la grande banlieue ouest d'Istanbul *via* **Tophane C3** *(p. 113)*, le **pont de Galata** et **Eminönü G5** *(p. 111)*, **Sultanahmet G6/C4** *(p. 68)*, **Beyazıt** et l'**université F5/G6** *(p. 90)*, **Laleli F6, Aksaray A4**, la **porte de Topkapı hors pl. par A3** *(p. 1104)* et **Zeytinburnu hors pl. par A4** (correspondance avec le métro).

Les jetons (1,30 YTL) s'achètent dans les guérites proches des stations. Le prix est le même quel que soit le parcours. Vous devrez glisser le jeton dans la fente prévue à cet effet quand vous passerez le tourniquet. Un conseil, rapprochez-vous de la porte bien avant l'arrêt où vous comptez descendre : aux heures de pointe, il est aussi difficile de sortir du tramway que d'y d'entrer !

Bus

Vous n'emprunterez le bus que pour vous rendre dans les **quartiers périphériques,** rarement donc, et c'est tant mieux car le réseau est complexe (aucun plan à l'office du tourisme). Les principaux terminus se trouvent près du pont de Galata *(p. 111)* **G5** (ligne du Bosphore), sur les places d'Aksaray **A4** et de Taksim **C2** *(p. 115)*, sur la rive européenne, ainsi qu'à Üsküdar **E3/D3** *(p. 132)*, côté asiatique. Les billets des bus municipaux (rouges ou verts) sont vendus à l'unité (1,30 YTL) ou par carnets de 10 dans les terminaux et les kiosques des principaux arrêts. Ils s'achètent à l'intérieur des bus des compagnies privées (oranges ou bleus).

Minibus et *dolmuş*

Les *dolmuş* sont des taxis collectifs très bon marché qui suivent des itinéraires précis et s'arrêtent sur simple demande. Ils se reconnaissent à leur couleur jaune. Ces monospaces ou minibus peuvent accueillir jusqu'à 8 personnes. Des panneaux indiquent la ligne près des stations. Les *dolmuş* partent lorsqu'ils sont pleins. Chacun paie sa part en début de trajet en fonction de la distance effectuée.

Les minibus de couleur grise sont interdits de séjour dans le cœur de la ville, car ce sont de véritables dangers publics. Pour vous en rendre compte, il vous suffira d'assister au ballet endiablé de ces véhicules lancés à toute allure aux alentours du deuxième pont sur la **Corne d'Or.** Les « copilotes », la tête à la portière, hurlent les destinations aux passants. Au moindre acquiescement, le conducteur pile sans crier gare. Tant pis pour le véhicule qui suit.

Taxi

Si vous êtes pressé, le taxi *(taksi)* est idéal. Rois des rues d'Istanbul, ces bolides jaunes sont rapides, efficaces et, surtout, extrêmement nombreux. En fait, on ne les attend jamais et ce sont eux qui, cherchant à multiplier les courses, klaxonnent les passants.

Le prix de la course est modique : comptez 10 YTL pour aller de Sultanahmet *(p. 68)* à Taksim *(p. 115)*. Tous les taxis possèdent un compteur (2 tarifs : jour, de 6 h à minuit ; nuit, au-delà). Attention, certains refusent de mettre en marche leur taximètre sous prétexte qu'il est en panne, comme par hasard près des grandes curiosités touristiques, et vous proposent un forfait. Refusez toujours, car vous payerez le double du prix normal (dans le meilleur des cas !). En règle générale, évitez absolument de prendre un taxi stationnant à la sortie des lieux très touristiques : l'arnaque est presque garantie. Déplacez-vous quelques rues plus loin. Faites attention aussi au moment de payer, et surtout quand vous donnez une grosse coupure : certains chauffeurs possèdent en effet de redoutables talents de prestidigitateurs... ●

Direction : Nathalie Pujo – **Direction littéraire** : Armelle de Moucheron – **Responsable de collection** : Marie-Caroline Dufayet – **Édition** : Luc Decoudin – **Informatique éditoriale** : Lionel Barth – **Documentation** : Sylvie Gabriel – **Conception de la maquette intérieure et mise en pages** : Sophia Mejdoub, Catherine Riand – **Cartographie** : Frédéric Clémençon, Aurélie Huot – **Fabrication** : Nathalie Lautout, Caroline Artémon, François de Ternay – **Couverture** conçue et réalisée par François Supiot.

Édition établie avec la collaboration de Franck Fries, Noémie Monier et Claude Vittiglio. Ce dernier a réalisé les entretiens p. 28-29 et p. 36-37.

Photo de couverture : La mosquée Bleue © Bertrand Rieger/hemis.fr

Pour nous écrire : evasion@hachette-livre.fr

Imprimé en Italie par LEGOPRINT
Dépôt légal n° 94333 – Décembre 2007 – Collection n° 27 – Édition n° 01
ISBN : 978-2-01-244094-4
24/4094/9